PROHEMIOS
Y CARTAS LITERARIAS

Ilustración de portada: cesión gratuita de la Consejería de cultura de la Comunidad Autónoma de Madrid.

BIBLIOTECA DE LA LITERATURA
Y EL PENSAMIENTO HISPANICOS

MARQUES DE SANTILIANA

Prohemios
y
cartas literarias

EDICION PREPARADA POR
MIGUEL GARCI - GOMEZ

EDITORA NACIONAL
Torregalindo, 10 - Madrid-16

Dios e Vos.

INTRODUCCION

ABREVIATURAS

B	*Bías contra Fortuna*
CF	*Carta a su Fijo*
CP	*Comedieta de Ponza*
DE	*Defunssión de Don Enrique de Villena*
DP	*Doctrinal de Privados*
GP	*Glosas a los Proverbios*
NS	*Los Goços de Nuestra Señora*
PB	*Prohemio a Bías contra Fortuna*
PC	*Carta Prohemio*
PCo	*Prohemio a la Comedieta de Ponza*
PP	*Prohemio a Proverbios*
QC	*Qüestion fecha por el Marqués a Do Alonso de Carthagena*
RQ	*Respuesta de Don Alonso de Carthagena la qüestión...*

APUNTES BIOGRAFICOS

> «... quiero e mando que de aqui
> adelante seades llamado, e yo
> por la presente vos llamo don
> Iñigo Lopez de Mendoza, Conde
> del Real de Manzanares e Mar-
> ques de Santillana... Yo el Rey» [1].

*Según lo decretó Juan II en 1445, Marqués de
Santillana sería el título personal que en lo sucesivo, y a perpetuidad, identificaría a Iñigo López
de Mendoza, postergando incluso el ilustrísimo
nombre de su familia. En lo sucesivo sería él,
Marqués de Santillana, el que más honra conferiría
a sus mayores y descendientes, aunque no tanto
por los méritos de sus armas, que en vida tal título
le merecieron, como por los de sus letras, que tras
su muerte le inmortalizaron.*

*Nació Iñigo López de Mendoza en 1398 en
Carrión de los Condes. De familia muy noble, por
cuyas venas —decíase— corría la sangre del Cid
Campeador. Su padre, Diego Hurtado de Mendoza,
Gran Almirante de Castilla; su madre, doña Leo-*

---

[1] «Título de Marqués de Santillana y Conde del Real», en Amador
de los Ríos, *Obras de don Iñigo López de Mendoza, Marqués de
Santillana*, p. CXLIX; puede consultarse también el texto en
Amador de los Ríos, *Vida del Marqués de Santillana*, p. 143. A lo
largo de este estudio, tendré ocasión de referirme con frecuencia
a estas obras, lo que haré con la abreviación *Obras* o *Vida*. Para
los datos biográficos sobre Santillana, el lector puede consultar
la «Introducción», en A. R. Pastor y E. Prestage, *Letter of the Marqués de Santillana to Don Peter*.

nor de la Vega, rica hembra de las Asturias de Santillana. El matrimonio tuvo cinco hijos, tres varones y dos hembras. Habiendo muerto el mayor de los varones en 1403, y el padre un año más tarde, antes de cumplir los seis años entró Iñigo López de Mendoza en posesión de la enorme hacienda de su familia, con sus numerosos títulos.

Con las riquezas y los honores recayeron sobre los tiernos hombros del niño los muchos cuidados, pues no fueron aquellos retenidos y acrecentados sin continuas luchas y tremendas vicisitudes. Los trabajos y tribulaciones robustecen al hombre o le quebrantan; en el caso de Iñigo le fortalecieron y encumbraron sobre todos sus contemporáneos sin excepción no sólo en el filo y la dureza de su espada, sino también en la elegancia y refinamiento de su pluma.

Dotes de mando; esas fueron las grandes cualidades del Marqués de Santillana. Mando suavemente ejercido sobre sus hijos, sus criados y soldados, así como sobre el círculo de letrados e intelectuales de su época; mando, inmisericorde para con sus adversarios.

Los que nos interesamos principalmente por la semblanza literaria del Marqués, no podemos menos de lamentar la turbulenta encrucijada política en que nuestro escritor vivió, bajo la asunción de que en circunstancias menos belicosas, hubiera éste gozado del ocio que las musas le demandaban, y con el ocio, hubiera logrado mayor altura y profundidad, mayor concentración y pulimento en su ideario poético. Si infausta para la creación artística se juzga cualquier clase de guerra, ninguna de éstas lo es tanto como las contiendas cortesanas en que se hallaba enfrascada la nobleza castellana de los años medios del siglo XV. El Obispo de Cartagena, gran árbitro intelectual y moral de su gene-

ración, puso el dedo en la llaga al comentar así en su Respuesta al Marqués:

> «... tanta es la animosidat e brio de la nobleça de España, que si en guerra justa non exerçita sus fuerças, luego se convierte a las mover en aquellas contiendas que los romanos *cibdadanas* llamaban, porque sobre el estado del regimiento de su cibdat se movían, aunque después se extendian por diversas partes del mundo; e nos propiamente fablando, podremos llamar *cortesanas,* pues sobre el valer de la corte se mueven, aunque se extienden por las muchas provinçias del reyno» (*Obras,* 491-92).

Olvidados parecían estar aquellos nobles castellanos de la guerra contra los moros, la guerra justa a que aludía el Obispo, hallándose enredados los unos contra los otros. Con dolor hemos de reconocer que, de tener que señalar el triunfo político de mayor relieve del Marqués de Santillana, apuntaríamos a la ejecución pública de don Alvaro de Luna, el valido de don Juan II, adversario del Marqués y sus familiares, por otra parte buen soldado y refinado escritor.

Si la victoria es lo que cuenta, el Marqués la alcanzó muy colmada en sus múltiples empresas. Triunfó, podríamos resumir, como esposo, como padre, como capitán y como escritor. Y triunfó, no porque Fortuna le fuera parcial, sino porque con coraje y habilidad supo domeñarla, y con valor y dedicación excepcional supo forjar su propio destino. Los biógrafos de Iñigo López de Mendoza se complacen en referir cómo en la persona de éste se realizó su propio ideal: la sçiençia non embota el fierro de la lança, nin façe floxa el espada en la mano del cavallero *(PP 3). A los críticos literarios, por otro lado, nos corresponde más bien pre-*

guntarnos: ¿embotó el hierro de la lanza la ciencia o hizo floja la pluma en la mano del escritor?

Aquí no tengo espacio —y me falta el sabor— para desparramarme por espacios de añoranzas y posibilidades; procuraré, sí, analizar con actitud positiva el valor e interés de las cartas literarias del Marqués. Si éste con la espada acrecentó las riquezas y títulos de su casa y familia, con su pluma enriqueció las letras de España, enriqueció a todos sus contemporáneos y siguió enriqueciendo a los escritores de los siglos subsiguientes. Bajo este criterio, nos alegraremos sin cesar de que su pluma sobreviviera a su espada.

APUNTES ESCOLÁSTICOS

Se lamentaba con razón Amador de los Ríos de la falta de documentos que nos hablasen de las escuelas, los maestros o la formación intelectual de Iñigo López de Mendoza. Sus biógrafos y genealogistas ni señalaron las escuelas, ni nos identificaron a sus instructores. La información que nos han dejado, según el mismo crítico, se apoya en la documentación interna de la obra del Marqués, sobre la que puede establecerse que ocupó... su niñez en el estudio de la lengua latina, retórica, erudición y filosofía, adelantándose algunos a incluir en dichos estudios la historia castellana *(Obras XIX).*

En resumidas cuentas, que hemos de aplicarnos, si queremos huir de la especulación, a la evaluación de lo que el Marqués de Santillana de hecho aprendió y asimiló. En cualquier caso, más vale analizar lo que el escritor nos enseña, que lo que le enseñaron, o quién se lo enseñó. Adoptaremos así la misma actitud del Marqués quien, al elogiar a alguno de sus contemporáneos, preter-

mite la mención de sus maestros, para concentrarse en los méritos del alumno.

La carencia de documentos externos sobre la formación escolar del Marqués de Santillana se nos hace más llevadera de tener en cuenta que las escuelas medievales se distinguían por su similaridad. Su curriculum *era tradicional y multisecular, unificado en los confines de la cristiandad bajo el cuidado de la Iglesia. Y este hecho puede explicarnos que al maestro, al individuo particular, se le prestara normalmente poca atención. Estaba estructurada la escuela sobre el* trivium *y el* quadrivium, *integrado aquél por los estudios de* grammatica, rhetorica *y* dialectica; *éste, por los de* aritmetica, geometria, musica *y* astronomia.

En el diálogo de Bías contra Fortuna *pone el Marqués de Santillana en boca del sabio griego una alusión a las* artes liberales *que, más que el programa de estudios de la vieja Grecia, revelaba el de Castilla:*

> Yo fui bien principiado
> En las liberales artes,
> E senti todas sus partes;
> E después de grado en grado
> Oy de philosophia
> Natural
> E la ethica moral,
> Ques duquesa que nos guia (127)

Estrofa esta, a mi parecer, muy informativa. El proceso educativo del Marqués de Santillana fue un proceso largo: estuvo aprendiendo toda su vida. Si su gran cualidad política fue la de dotes de mando, su excepcional cualidad intelectual fue la de buen oyente: E después de grado en grado. *Fue después de los años de su primera formación que cultivó los estudios de filosofía moral, con la lectura reposada y deleitosa de los clásicos.*

Los que abordamos el estudio de los textos literarios castellanos con el entusiasmo por destacar en ellos su originalidad y calidad artística —sin renunciar en ningún momento a las bases de documentación sólida—, no podremos menos de lamentar los talentudos esfuerzos que muchos de los críticos de la literatura española, tanto españoles como extranjeros, han hecho por darles a los italianos todo el crédito de las ideas del Marqués.

Todo el que estudia la obra de madurez del Marqués de Santillana se siente confundido ante los juicios, aparentemente contradictorios, que han formulado críticos muy autorizados sobre los conocimientos que el escritor castellano tenía de la lengua latina. Amador de los Ríos opinaba que el Marqués sabía latín, y que fue simplemente modestia lo que le llevó al escritor hasta el punto de declarar que no sabía latín, porque no lo había estudiado en la infancia. Mas a pesar de esta ingenua confesión, debe advertirse que no fue de todo punto extraño a la lengua de Virgilio, pues le vemos hacer uso con frecuencia de textos latinos, los cuales sólo pudo aprender con la lectura de libros escritos en aquella lengua. Para nosotros está fuera de duda que don Iñigo López de Mendoza entendía el latín y manejaba los autores clásicos: lo que significan, en nuestro concepto, sus palabras, es que no se tenía por tan entendido en aquella lengua que se atreviese a traducir a la castellana, con la exactitud por él apetecida, las obras de tan celebrados ingenios[2].

El texto de Santillana, a que Amador de los

---

[2] *Vida*, p. 135; cf. también, pp. 46 y 89.

Ríos se refería, es el de la Carta a su Fijo, 2.
*Morel-Fatio, con quien parecía estar de acuerdo
Schiff, opinaba que el Marqués de Santillana igno-
raba el latín*[3]*; actitud poco generosa que no qui-
sieron contradecir otros críticos españoles de nuestro siglo, encontrándose entre ellos Rafael Lapesa,
para quien Santillana no sabía latín* al menos en
grado suficiente*[4]*.

*Creo que es ésta una actitud demasiado ta-
caña, que acentúa lo negativo. Decirles a los lectores de hoy que nuestro escritor no sabía latín,
equivale a afirmar que no podía éste leer* grammatica, *ni* rhetorica, *ni* dialectica, *y que le fue ve-
dado el estudio del* trivium *y del* quadrivium. *¿No
estaban los textos escritos en latín? Por aquella
época se mantenía la siguiente opinión:* El que no
sabe latín asno se debe llamar de dos pies,
formulación que hace Juan de Lucena, en su Epístola exhortatoria a las letras[5]*; es absurdo creer*

---

[3] Mario Schiff, *La bibliothèque du Maquis de Santillane*, p. LXIII.

[4] Rafael Lapesa, *La obra literaria del Marqués de Santillana*, p. 256; el
autor nos ofrece una nota aclaratoria: «Aunque no se tome esta
negación como representativa de un desconocimiento absoluto,
es preciso aceptar que, por lo menos, Santillana encontraba gran
dificultad para entender el sentido de un texto latino.» A. G.
Reichenberger, partiendo del supuesto que Santillana no sabía
latín, niega que pudiera comprender a Horacio y, consecuentemente, parafrasearlo, en un artículo que cala bastante en las
influencias clásicas sobre el Marqués y aporta muchos datos y
detalles que lógicamente tienden a probar que lo sabía («The
Marques de Santillana and the Classical Tradition»).

[5] *Opúsculos literarios*, ed. A. Paz y Meliá, p. 213. Maxim Kerhof se
inclina a mantener la opinión de Mario Schiff, citando en su
apoyo una frase que Juan de Lucena pone en boca del Marqués
de Santillana, uno de los interlocutores —junto con el Obispo de
Cartagena y Juan de Mena— en el *Libro de vida beata;* dice el
Marqués que, de estar solos el Obispo y Juan de Mena, dialoga-
rían en *latino sermón,* añadiendo: *Yolo sé, ¡o me misero! Cuando me
veo defectuoso de letras latinas, de los fijos de hombres me cuento,
mas no de los hombres ... Fablart'e, pues, como supiere. Do errare,
enmienda, y suple do vieres mi mengua* (*Opúsculos literarios,* p. 113);
cf. M. Kerhof, *La comedieta de Ponza,* p. 363. De nuevo nos encontramos frente a una confesión de modestia exagerada, cuyo alcance no va más allá del de creerse defectuoso en comparación
con sus interlocutores, reconocidos latinistas ambos.

que Lucena incluyera al Marqués entre los tales. No se olvide la frase derogatoria de don Enrique de Villena en la que ignorar el latín era sinónimo de carecer de ciencia: Homes legos, ayunos de sçiençia, ygnorantes la lengua latina[6].

Al formular nuestras propias opiniones hemos de ser conscientes de los valores de cada época. Es cierto que entre los elogios al Marqués no aparece ninguno en que se encomie su latín. En su época, cuando el conocimiento de esa lengua era común entre los hombres de alguna cultura, sólo se encomiaban aquellos que poseían conocimientos especiales. Concedamos que no pudiera el Marqués de Santillana hablar la lengua del Lacio o escribirla con soltura, o entenderla, si se quiere, con la facilidad de un Villena, un Juan de Mena, el rey don Juan, el Obispo de Cartagena, su propio hijo (que llegaría a ser Gran Cardenal), u otros de sus contemporáneos; concedamos que no se sintiera autorizado para hacer una traducción de la Iliada. Pero hemos de conceder, de igual modo, que sabía el suficiente latín para poder entender a César y a Cicerón, y las selecciones de florilegio de Horacio y Virgilio, de quienes nos ha dejado bellas interpretaciones. Sin duda que leía sin problemas el latín de los medievales y el latín escolástico.

Suelen los críticos admitir que nuestro escritor sabía italiano y francés. Nous savons par son temoignage qu'Iñigo Lopez lisait le français. De son savoir en toscan il nous a donné une preuve lui-même, afirmaba sin reparos M. Schiff[7]. Y sin

---

[6] Eneida, Biblioteca Nacional, MS 1874, f. 11.

[7] O.c., p. LXVIII. M. Durán afirma —sin documentación alguna— que tras el viaje del Marqués a Aragón, éste Comienza a aprender el catalán, el gallego, el italiano, el francés (o.c., p. 9). Parten estas opiniones de un comentario de Antón Çorita quien, en el prólogo a su traducción del francés al castellano del Abre des batailles, de Nonoré Bonnet, se dirige así al Marqués, a quien le dedica su

embargo, *ningún pasaje de la obra del Marqués está tan relacionado con algún otro texto francés o italiano como lo está con el* Beatus ille *de Horacio la traducción o, mejor dicho, la interpretación directa que se inserta en la* Comedieta de Ponza.

Los críticos modernos parten, no cabe duda, de un error de perspectiva. Siendo hoy en día más fácil y más común aprender una lengua moderna, piensan que también fuera así en la primera mitad del siglo XV. Y no lo era. El escolar aprendía latín. El escritor deseoso de notoriedad escribía en latín. El latín era la lengua internacional. No existían las gramáticas de italiano o francés; la de castellano de Nebrija —la primera de una lengua románica— no aparecería hasta finales del siglo XV. El latín estaba tan identificado con la primera materia del trivium, *que leer latín se decía* grammaticam legere. *No sé, en conclusión, de ningún escritor culto de aquella época que supiera mejor una lengua romance extranjera que el latín, excepción hecha de los que escribían en provenzal y catalán, o castellano y portugués*[8].

No quisiera ser injusto o irrespetuoso con los críticos modernos; al mismo tiempo, quiero advertir al lector que tales críticos niegan al Marqués los conocimientos del latín y le conceden los de italiano y francés, porque tratan de probarnos que en

---

obra: *Era aqueste libro en lengua galica o françes a escripto, la qual non enbargante que a vos muy noble señor sea llana, quasi asi commo materna, commo aquel que los libros escriptos en diversos lenguajes commo son toscanos, venecicos e otros muchos leedes, e por graçia de dios muy bien entendedes* (Schiff, *o.c.*, p. 377). Santillana, pues, mandaba traducir obras, no tanto porque él no las entendiera en su original, sino porque pudieran ser leídas por todos los que sólo leían castellano.

[8] En aquella época eran numerosas las traducciones al latín de originales en francés y alemán; entre las obras castellanas, se tradujeron al latín las *Coplas a la muerte de su padre*, de Jorge Manrique (cf. E. R. Curtius, *European Literature and the Latin Middle Ages*, p. 26, n. 19).

el poeta castellano no hay otra cosa que influencia de provenzales, franceses o italianos [9]. Al no saber el latín, no podía llegar nuestro escritor a un contacto directo con Cicerón, Horacio, Virgilio u otros. Tacaña y negativista es, al por mayor, la actitud de los críticos —repito—, cuando debieron argüir que, dadas las interpretaciones de Cicerón, Horacio y Virgilio en la obra de Santillana, tan superiores a las que hace de cualquier otro escritor italiano o francés, el Marqués sabía el latín mejor que cualquier otra lengua extranjera.

Al enfrentarse dichos críticos con los numerosísimos latinismos, en el léxico y construcción sintáctica, que dan carácter a la obra de madurez del Marqués, han tratado de explicarlos por la influencia de las lecturas de los italianos, o de los escritores contemporáneos, como Villena, el Obispo de Cartagena y otros, más las traducciones de los autores clásicos. Caen así los críticos en una obvia petición de principio, y quieren hacernos creer que el Marqués, sin saber latín, podía entender, asimilar y emplear los latinismos recién estrenados en el castellano. ¿Quién que no sepa latín hoy día los entiende? Ni podrán explicarnos los críticos que el Marqués, que aprendería los latinismos a una edad avanzada, fuera el que con mayor propiedad y gusto los supiera emplear entre todos sus contemporáneos; era él, el que entre todos ellos era celebrado por su linda eloquencia.

Necesario nos es, pues, admitir que Iñigo López de Mendoza sabía latín. Tal admisión nos allanará el camino para la comprensión y el análi-

[9] A este respecto no faltan las hipótesis encontradas. M. Schiff, por ejemplo, hace la siguiente observación: *l'influence provençale directe sur le Marquis a été nulle* (o.c., p. LXXIII). V. García de Diego afirmaba por su parte: *de hecho Santillana es un poeta provenzal y son de pura cepa provenzal sus principales ideas poéticas* (*Marqués de Santillana. Canciones y decires*, pp. XXVII y XXVIII).

sis de sus escritos de madurez, cuando buscaba y emprendía su nueva manera en el estilo de su dicción, en el contenido humanístico de sus escritos.

LA ELOCUENCIA DEL MARQUES

Enfoquemos nuestra mirada sobre el estado de las letras castellanas con anterioridad al Marqués, sin distraernos con hipótesis de influencias extranjeras, con el fin de valorar el progreso que las letras patrias experimentaron con la infusión de la dicción del Marqués, de sus ideas y su práctica literarias. Nunca, creo yo, experimentarían nuestras letras una revolución de tamaño alcance. Si a un niño o —digamos— un estudiante extranjero le enseñáramos español de manera diacrónica, comenzando con el Cantar de mio Cid *y siguiendo, sucesivamente, con Berceo, el Rey Sabio y Juan Ruiz, al llegar al Marqués de Santillana —inclúyase, claro, a Juan de Mena—, creería estar enfrentado con una lengua extranjera. Que así fuera, puede inferirse del testimonio del humilde castellano del siglo XV, que nos retrató de esta manera al Marqués de Santillana en las* Coplas de la Panadera:

con habla casi estrangera,
armado como francés.

Lo que a la panadera le sonaba a habla extranjera, había recibido del Obispo de Cartagena el elogio de linda eloqüençia, que recordaba la de los oradores del pasado [10]. *Aquel caballero español*

---

[10] Para R. Lapesa (*o.c.*, 158) se trataba de *habla francesa*, lo cual en mi opinión es poner límites muy concretos, demasiado regional

que se armaba a la francesa, se expresaba, hablaba y escribía a la latina. En su léxico, sin haber hecho yo un escrutinio exhaustivo, he encontrado alrededor de ochocientos latinismos. De ellos, unos ciento veinte fueron formaciones que caracterizaríamos un tanto peregrinas, pues no llegaron a recibir carta de naturaleza en el idioma[11]. Su valor, no obstante, es digno del mayor aprecio, pues nos cercioran del extraordinario afán de innovación y enriquecimiento que movía al Marqués.

La linda elocuencia de nuestro escritor era el efecto de una cláusula periódica, por él cultivada, que quería asemejarse a la de los latinos. Para éstos había sido el periodus el ente estilístico más apreciado. Cicerón, al intentar su definición, se perdía en la acumulación de expresiones: tum ambitum, tum circuitum, tum comprehensionem, aut continuitatem, aut circumscriptionem (Orator 61, 20, 4).

Con el Canciller de Ayala, tío de Iñigo López de Mendoza, nos dice Menéndez y Pelayo que las puertas de Castilla se abrieron a un género de prosa de tendencias clásicas, muy diversas de la deleitable prosa semioriental que campea en los patriarcales escritos del Rey Sabio, de su hijo y de su sobrino[12]. Y sin embargo, preciso es

---

es a una frase sumamente vaga. No hay nada en las obras del Marqués, ni en su vida, que sugiera que fuera afrancesado en su habla. La panadera que le creía armado a la franca, no tendría ni idea de dónde procedía su lenguaje. Sería el Obispo de Cartagena quien nos aclararía sus orígenes: *ver vuestra linda eloqüencia en nuestra legua vulgar, donde menos acostumbrarse suele que en la latina, en que escrivieron los oradores passados, cosa es por çierto que por su gentileça e singularidat deve a todo ome ser agradable* (Obras, p. 490).

[11] En otro lugar he dado una lista larga de estos vocablos; cf. M. Garci-Gómez, *La tradición clásica en las ideas y el estilo del Marqués de Santillana*, Tesis doctoral, pp. 137 y ss. R. Lapesa ha hecho un estudio parcial de los latinismos (*o.c.*, pp. 162 y ss.; cf. núm. 42 de Bibliografía).

[12] *Antología de poetas líricos castellanos*, I, p. 346.

admitir que en el Canciller prepondera la cláusula llamada perpetua, de ritmo lento y entrecortado, como trote de percherón, en marcada progresión rectilínea, con la gradación de oraciones copulativas.

La cláusula periódica que cultivaría con esmero el Marqués se asemejaba, por contraste, al oleaje del mar, con ondas que suben, crecen y se rizan, avanzando y retrocediendo, que descienden para volver a elevarse, en vaivenes múltiples, deseosas de reposar en tierra firme.

Trato de mostrar aquí, por ejemplo, la disposición gráfica de los efectos de dilatación, centrífugos y centrípetos, de los varios grupos satélites en la cláusula periódica que abre el Prólogo a Bías contra Fortuna (p. 19).

Verdaderamente era esta cláusula periódica una nueva manera en la prosa castellana, que maduró en el Marqués hasta hacerse el vehículo estilístico consagrado de sus escritos de madurez. Y no sólo en su prosa, sino también en su poesía, como fácilmente puede comprobar el lector que consulte la elegía a la Defunssión de don Enrique, con una primera cláusula que se extiende a lo largo de las tres primeras estrofas.

Esta cláusula periódica responde no sólo a un prurito de imitación estilística de los latinos, sino a la concepción que el escritor castellano muestra tener del tiempo, del cosmos: una concepción circular, asimismo de reminiscencias clásicas. Circuitus era uno de los términos sinonímicos de período. Está constituida tal cláusula, ordinariamente, por una primera parte que contiene una o más frases incompletas, llamada prótasis, en la que la atención se tensa y la narración se dilata, con una conclusión, la apódosis, en que la atención se relaja y el concepto se completa.

QUANDO
  yo demando
    a los Ferraras,
      tus criados e mios,
      e aun a muchos otros,
        Señor e más que hermano mio,
        de tu salut
        e de quál agora es la tu vida,
        e ques lo que façes
        e diçes
  e me responden
  e çertifican
    con quánto esfuerço,
    con quánta paçiençia,
    con quánto despreçio
      e buena cara tu padesçes,
      consientes
      e sufres tu detençion
        e todas las otras congoxas
        molestias
        e vejaçiones
        que el mundo ha traydo;

    e con quánta liberalidat
      e franqueça partes
      e destribuyes aquellas cosas,
        que a tus sueltas manos vienen;

REFIRIENDO a Dios muchas graçias,
ME RECUERDA d'aquello que Homero escribe en la *Ulixea*...

23

El Marqués de Santillana inauguró, pues, en castellano la cláusula que reproducía estilísticamente el concepto amplio de comienzo y retorno en la naturaleza; la naturaleza que es aurora y ocaso, primavera y otoño, día y noche, vigilia y sueño, marco temporal poetizado en la Defunssión de don Enrique. *Nuestro poeta, que había destacado la excelencia de la poesía sobre la* soluta prosa, *no ocultó su deleite y sabor por las prosas que consideraba* frutas/ De dulçe gusto sabrosas (B *100*).

LOS ESTUDIOS DE LA HUMANIDAD

EL MARQUES Y SU GENERACION

Carecía de precedentes en el suelo hispánico el sentimiento y la labor de equipo que unía al Marqués de Santillana con las figuras de los intelectuales y los literatos de su época. Entre todos ellos se erguía Iñigo López de Mendoza como el gran mecenas, el hombre rico e influyente que apoyaba y fomentaba las tareas culturales del equipo. Los hombres que lo integraban pertenecían a diversos estados, profesiones y ocupaciones: reyes, nobles, obispos, capellanes, escribanos de corte, poetas, guerreros y otros, unidos todos entre sí por un celo intelectual y un talante estético similares. Entre sí se llamaban amigos. Se correspondían con frecuencia, esmerándose en el estilo de su cartas, muy conscientes de la transcendencia de sus asuntos. Se dedicaban unos a otros sus creaciones literarias; se consultaban y pedían consejo en las dificultades de las ciencias y en las vicisitudes de la fortuna; unos a otros se comunicaban los hallazgos y los avances en su investigación. Y lo que quizá sea más digno de ponderación, se encomiaban con entusiasmo y se defendían ávidamente contra los que les atacaban y los que reprendían su nueva manera: *su dedicación a los clásicos, su estilo de época. Se consideraban a sí mismos, y eran por otros considerados, casta diferente. Por todo esto hemos de considerarlos* Generación Literaria, *la primera en la Península.*

Sobresalía la Generación por el cultivo y el elogio de la amistad, una amistad que trascendía los vínculos de consanguineidad e intereses políticos, para apoyarse en la afinidad de empresas intelectuales comunes. A Juan de Mena le llamaba el Marqués de Santillana espeçial amigo, *y al Obispo de Cartagena le consultaba éste confiado y movido* por magna, por antigua, verdadera, e non corrompida en algunt tiempo amistat[13].

La Generación constituyó un grupo verdaderamente formidable, que los más conservadores miraban con celo y atacaban sin pudor. Los adversarios del círculo intelectual del Marqués debían ser numerosos e influyentes, a deducir por las muchas justificaciones y autodefensas a que obligaron al propio Marqués y a otros con él relacionados. Entre los más conservadores se encontraban los que se oponían al estudio de los escritores paganos —para ellos, una amenaza de paganización de la cultura—, cuyos deseos se verían satis-

---

[13] Se trataba de una amistad como virtud humana, humanística, si se quiere, virtud de un espíritu cultivado, vínculo que unía —y separaba— a los miembros de la Primera Generación. *Buen amigo* y *amigo especial* consideraba Santillana a Juan de Mena (*Obras*, pp. 319 y 320). En el diálogo de *Bías contra Fortuna* aprovechaba el Marqués para poner en boca del sabio griego sus propios sentimientos de orgullo y seguridad en sus numerosísimos amigos: *Yo soy amigo de todos/E todos son mis amigos*, exclama Bías, desafiando a Fortuna, pues eran tales sus amigos que por nada del mundo los podría perder (estrofas 24-26, *Obras*, p. 163). Iba inspirada la amistad en los clásicos, como señala el traductor de *Genealogía de los dioses*, de Boccaccio, dedicada a Santillana. En el *Prefacio*, probablemente de Pedro Díaz de Toledo, se recuerda una cita de Platón: *que reafirma ser grande argumento de bondad a la persona abundar en amigos* (M. Schiff, *o.c.*, p. 337).

fechos cuando consiguieron llevar a cabo la quema de la biblioteca de don Enrique de Villena.

Aquella quema, bajo el escrutinio directo del dominico Fray Lope de Barrientos, tutor del príncipe Enrique, había sido autorizada por el rey don Juan. Al príncipe don Enrique debían de llegarle con frecuencia las lenguas de los madicientes, contra los que trató de amonestarle el Marqués en el Prohemio a los Proverbios:

> Bienaventurado Prínçipe, podría ser que algunos, los quales por aventura se fallan más prestos a las reprehensiones e a redargüir e emendar que a façer nin ordenar, dixiessen yo aver tomado todo, o la mayor parte destos Proverbios de las dotrinas e amonestaciones de otros, asy como de Platon, de Aristotiles, de Socrates, de Virgilio, de Ovidio, de Terençio e de otros philosophos e poetas. Lo qual yo non contradiria; antes me plaçe que asy se crea e sea entendido (4).

Es decir, que el Marqués de Santillana estaba lejos de sentirse intimidado, y se proclamaba orgulloso de su estudio de los clásicos, a los que creía indispensables de conocer para el buen regimiento del estado. El prestigio y el poder político de Iñigo López de Mendoza alentaba a los demás a expresar sus sentimientos de filoclasicismo y sus ataques a los adversarios. A éstos fue a los que atacó duramente Enrique de Villena, como a homes legos, ayunos de sçiençia, ignorantes la lengua latina... que no fueron criados con la leche rhetorical ni mantenidos con la vianda poetica, nutritiva de los generosos entendimientos. [14] *A los adversarios de la Generación los atacó también Gómez Manrique, en su* Carta a la muerte del

[14] *Eneida, o.c.,* f. 11 y ss.

Marqués, por la mengua de saber, la falta de la graçia, el poco reposo, la malvezdad de muchos que solamente entienden non en façer o emendar, mas en reprehender lo fecho, lo cual aun a los mucho simples es fáçil... *(Obras CLIV)*.

Los adversarios debían proceder, al menos en sus altos mandos, de grupos eclesiásticos. Para confundirlos se tradujo la Homilía de San Basilio, *dedicada al Marqués, en favor de los estudios humanísticos. El autor, que permaneció en el anonimato, participaba de los sentimientos de la Primera Generación literaria de Castilla, y se lanzaba en el prólogo, con dureza, contra los* retractores *de los que él llama* estudios de la humanidad:

E por quanto algunas vezes de mi mismo, e muchas de vuestra magnifiçençia, e de otros he oydo fablar con [despecho] a aquellos que quieren obtrectar los estudios de la humanidat, por que nosotros nos damos a los poetas, e oradores, e otros que los han tractado, acorde de romançar e enbiar a vuestra nobleza esse pequeño libro del gran Basilio, por que con la auctoridat de este tan gran varon pueda v[u]estra nobleza confonder la ignauia e peruersidat de los que vituperan los estudios suso dichos e que dizen que es de aredrarse dellos de todo punto. A los quales entendio que esto viene por ser de tan vagaroso ingenio que non pueden otear a ninguna cosa alta e egregia. E ellos, non podiendo espirar a ninguna parte de humanidat, entienden que nin los otros, que tienen abilidat e voluntad para ello, lo deuen fazer. Mas dexemoslos con su ignorança, ca non me paresçen dignos para que dellos fagamos mençion...[15]

[15] M. Schiff, *o.c.*, p. 343.

¿Temía el autor, no tan poderoso como el Marqués, alguna represalia por parte de los ignorantes adversarios? Podría ser. No obstante, lo que más nos interesa del prólogo es la claridad con que se expresa el credo literario de la Primera Generación: los estudios de la humanidad, *traducción feliz de la frase ciceroniana* studia humanitatis, *tan querida de los humanistas de todos los países y de todas las épocas. El traductor sabía que ninguna otra clase de estudios le interesaba más al Marqués; el traductor sabía que el Marqués quería verse relacionado con los* poetas y oradores antiguos, *y no tanto con los italianos, como se esfuerzan por hacernos ver los críticos contemporáneos, nublándonos así la visión de lo que era la verdadera ilusión de la Primera Generación. El traductor le decía al Marqués lo que éste, sin duda, quería oír: que nada era tanto de su gusto como los*

«... estudios de humanidat, de los quales se que ningun trabajo, ninguna paçion e ningunos alcançados o perdidos fauores non vos podrian arredrar [16]»

LOS ESTUDIOS DE LA HUMANIDAD

Mientras el estudiante del Marqués de Santillana — por limitarnos a nuestra materia— siga fiándose de los generalistas y no lea los textos de los escritores de la Generación, seguirá con sus maestros golpeando al viento, para acabar desalentado. Karl Kohut, no ha mucho, ha hecho un estudio de las teorías literarias de nuestros escritores de los siglos XV y XVI; nos dice: El huma-

[16] M. Schiff, *o.c.*, p. 343.

nismo amplió el Trivium tradicional *(gramática, retórica y dialéctica)*, añadiendo la poesía y la historiografía y también, en muchas ocasiones, la filosofía moral. Al nuevo conjunto así surgido se le denominó studia humanitatis *(en español* letras humanas) [17]. *Resulta algo así como imperdonable que en un trabajo monográfico sobre el siglo XV se pase por alto la lectura y la investigación de la Primera Generación de humanistas españoles; para ellos,* studia humanitatis *eran los* estudios de la humanidad, *cuya naturaleza estaba claramente expresada:* nosotros nos damos a los poetas, e oradores, e otros que los han tractado.

Para el Marqués de Santillana, como poeta, la actitud humanística consistía asy en la inquisiçion de los fermosos poemas como en la polida orden e regla d'aquellos (PC *21;* poema, *en la terminología del escritor es la poesía de los clásicos y sus imitadores); como moralista, el humanismo consistía en* aver tomado todo, o la mayor parte destos Proverbios de las doctrinas e amonestamientos de otros, asy como de Platon, de Aristotiles, de Socrates, de Virgilio, de Ovidio, de Terençio e de otros philosophos e poetas (PP *4).*

De haber estudiado bien el señor Kohut la Primera Generación de humanistas españoles, ha-

---

[17] *Las teorías literarias en España y Portugal durante los siglos XV y XVI,* p. 32. Quisiera hacer la observación que el Renacimiento sucedió a la Edad Media como movimiento no de quiebra rotunda y absoluta, sino de reorientación. En el siglo XV español se manifiesta ese proceso de transformación, quizá insegura en su realización, pero muy clara en sus esperanzas. Naturalmente que queda en Santillana mucho de la Edad Media; en ningún lugar ni en ningún escritor se trató nunca de abolirla por completo, sólo de enriquecerla. Santillana expresó bien lo que él y sus amigos de Generación trataban de hacer: encontrar una nueva manera, que era la vieja manera de los clásicos.

bría notado cómo ya en el Marqués de Santillana se encontraba ampliado el curriculum *tradicional:*

Oy de philosophia
Natural,
E la éthica moral (*B* 127) [18]

Si confeccionamos nuestros modelos de humanismo con referencia primordial a autores extranjeros, naturalmente que habremos cortado un traje que no ha de caerles bien a los escritores de la Primera Generación literaria de España. La culpa no será de éstos, sino del sastre. Definamos los estudios de la humanidad como los entendían el Marqués de Santillana y su círculo, para los que fue principalmente un movimiento de reacción y de búsqueda.

A los estudios humanísticos iban unidas algunas características de innovación en las letras castellanas tradicionales; se enriquecen éstas con nuevos valores, hasta entonces no cantados en romance, valores personificados en antiguas figuras clásicas. Admiraba el Marqués a los antiguos por su sabiduría, y a sus contemporáneos les aconsejaba el trabajo *que fuera destinado a la consecución de la ciencia:*

---

[18] A propósito del mencionado comentario de Kohut sobre la *filosofía moral,* quizá merezca la pena resaltar que Santillana sentía por esta materia predilección especial, como se expresa en muchos pasajes de sus obras. Hasta tal punto que sus biógrafos destacan esa afición explícitamente; Juan de Lucena pone en boca del Marqués precisamente una larga perorata sobre la filosofía moral en el *Libro de vida beata (Opúsculos literarios,* p. 156). Hernando del Pulgar, en su semblanza de nuestro autor, señalaba: *Tenía gran copia de libros e dábase al estudio, especialmente de la filosofía moral e de cosas peregrinas e antiguas (Claros varones,* tít., IV, citado en *Vida,* p. 80).

Tiempo se ha de otorgar
Al aprender:
Que no se adquiere saber
Sin trabajar (*P 38*).

   Alonso de Cartagena le daba al Marqués el siguiente consejo: entre unas priessas e otras papel e cálamo non fallesca *(RQ 2). Consejos que no eran vanas peroraciones, pues el Marqués hacía todo lo que podía por llevarlos a la práctica. El mismo nos dice cómo procuraba hurtar el tiempo a otras ocupaciones o mayores negocios, con el fin de poder* investigar alguna manera nueva (PB 2) [19].

   Esa investigación a que alude en el Prohemio a Bías *es la que llevó a Iñigo López de Mendoza a superarse a sí mismo, a superar a los escritores del Medievo castellano en sus tareas de traducción o paráfrasis del modelo coetáneo, tradicional (Berceo), la moralización mediante la observación del mundo circundante, bien de los animales de las fábulas (don Juan Manuel) o del hombre de impulsos naturales (los dos Arciprestes). El Marqués de Santillana saltaría hasta la antigüedad, para en el viejo sabio Bías encontrarse a sí mismo. El hombre de armas y letras de la remota Grecia se nos presenta más identificado con el caballero de la nueva Castilla, que el pecador del* Libro de Buen Amor *lo estuviera con el Arcipreste de Hita. Bajo*

---

[19] Se trata del trabajo que requería la adquisición del saber; en realidad se referían los escritores a la procuración del ocio y el reposo, conducente al estudio. Su fuente eran los clásicos, y concretamente Cicerón: *Nostrum otium negotii inopia, non requiescendi studio constitutum est* (*De officiis* 3, 1). Lo señala así el propio Santillana: *asy como Tullio lo testifica en el dicho libro «De Officiis» que nunca era menos oçioso que quando estaba oçioso* (PP 5). En la *Introducción* del libro Fedrón, Pedro Díaz de Toledo, se dirige así al Marqués a quien se lo dedica: *Muy docto e muy generoso señor, a quien los negoçios non han fuerça nin vigor de enbargar el oçio de vuestro estudio* (M. Schiff, *o.c.*, p. 14). Y Juan de Mena, en su *Pregunta* al Marqués, le dice: *El punto del tiempo por oçio tenido/Aquesse vos façe muy mas negoçiado* (*Obras*, p. 318).

el nombre de Bías nos hablaría el Marqués de sus propias experiencias, de sus sentimientos personales, de cómo quería ser el escritor que llamaba a la puerta del Renacimiento. Como investigador, nos revelaba sus problemas y trabajos, comunes a todos los investigadores que discurriendo de unos pensamientos en otros, se lançan en un segundo labyrintho, o casa de Dédalo, por tal manera que, quando piensan aver acabado, comiençan... (QC 3).

LA DEFENSA DEL LIBRO

Entendieron los adversarios de la Primera Generación de humanistas castellanos que el mayor mal que podrían causarles era la destrucción de sus libros, y consiguieron del rey la autorización para quemar, tras la muerte del interesado, la biblioteca de don Enrique de Villena[20]*. Grandes*

---

[20] Ottavio di Camillo es de los que piensan que los que atacaban la poesía por aquellos años debían proceder de ciertos sectores de *clérigos y teólogos* (*El humanismo castellano del siglo XV*, p. 106). Me inclino a sostener esta opinión. De hecho, un personaje ilustre de la época, el dominico Fray Lope de Barrientos, tutor del Príncipe Enrique (a quien avisaba —recuérdese— el Marqués en el *Prólogo a los Proverbios*), sería el encargado de revisar la biblioteca de Villena y llevar a cabo la destrucción de los libros sospechosos. Elena Gascón Vera se planteó la cuestión de que si la quema de dicha biblioteca sería una maniobra política o antisemítica. Mi opinión es que se trataba de una maniobra de política de eclesiásticos, atemorizados por el resurgimiento de una cultura de tendencias paganizantes, cuyo gran fautor había sido don Enrique de Villena (cf. Gascón Vera, *La quema de los libros de don Enrique de Villena: una maniobra política y antisemítica*). Los aspectos de antisemitismo son del todo injustificables. Por otra parte, la oposición a los estudios humanísticos era un fenómeno que rebasaba las fronteras españolas (de las que se ha ocupado N.G. Round en *Renaissance Culture and Its Opponents in Fifteenth Century Castille*), hasta verse también reflejado en Italia (cf. E. Garin, *La cultura del Rinascimento;* también di Camillo, *o.c.*, pp. 137 y 93). Sobre la reivindicación de don Enrique de Villena por el Marqués de Santillana habla Amador de los Ríos en *Vida*, p. 53, y pp. 29-30.

clamores y protestas provocó tal acción entre los amigos de este gran mentor de los estudios humanísticos y asiduo colector de libros, muchos de ellos traídos de Italia. Protestó, lloroso, Juan de Mena:

O ínclito sabio, auctor muy sçiente,
otra e aun otra vegada yo lloro
porque Castilla perdió tal tesoro
non conosçido delante la gente...
Perdió los tus libros sin ser conosçidos
e como en esequias te fueron ya luego
unos metidos al avido fuego,
otros sin orden non bien repartidos (*Laberinto* 126, 127).

Al desaparecer la biblioteca de Enrique de Villena, pasaría a la historia el Marqués de Santillana como el patriarca de los bibliófilos españoles. El investigador coleccionaba los libros donde estaba depositada la sabiduría de sus antepasados. En ningún momento adquiere la pluma del Marqués mayor patetismo que cuando, identificándose con Bías, defendía contra Fortuna la utilidad y el placer de la lectura. Al amenazar ésta al sabio con la privación más odiosa de todas, la de impedirle el gozo del leer sacándole los ojos, Bías declara que se consideraría dichoso de parecerse más así a Demócrito y Homero:

FORTUNA

E otros muchos enojos
Te faré, por te apartar
Del goço del estudiar.
Dime, ¿leerás sin ojos?...

BÍAS

Demócrito se çegó
Deseoso
Desta vida de reposo.
E Homero çiego cantó (*B 112, 114*).

La nueva manera *del Marqués introduce en el léxico hiperbólico nuevos conceptos; el poeta cortesano había hiperbolizado el amor a su dueña con el* eres mi Dios; *el estudioso de la humanidad expresaría el colmo de su admiración y cariño mediante la comparación con el libro o, aún más, una rica biblioteca, como en el elogio a la Virgen:*

> Bibliotheca copiosa,
> Texto de admirable glosa,
> Historia de los profetas (*NS* 5).

En Defunssión de don Enrique *invocaba al finado como*

> Bibliotheca de moral cantar (*DE* 3)[21].

Cuando Iñigo López de Mendoza interpretaba la frase inmemorial de Bías, omnia mea mecum porto, *cifraba todos sus propios bienes y joyas en los autores y textos, en los libros y las traducciones que tenía de los antepasados:*

> Bías
> Nin creas me robarás
> La letras de mis passados
> Nin sus libros y treslados
> Por bien que jamás farás
> ...
> Los bienes que te deçía
> Que yo levava conmigo
> Estos son (verdad te digo)

---

[21] E.R. Curtius dedica varias páginas al estudio del *Libro como símbolo,* en Oriente y Occidente, desde la vieja Grecia hasta el Siglo de Oro español; entre sus ejemplos no recoge el de Santillana, pero sí da importancia el motivo entre los escritores españoles, destacando un texto de Calderón, para quien el libro era un símbolo de la sabiduría, por lo que creía apropiado considerar a Jesucristo como *el libro soberano / De la ciencia de las ciencias* (o.c., p. 344).

E joyeles que traya;
Ca si mucho non m'engaño
Todos estos
Actores e los sus textos
Entran conmigo en el baño (*B* 93, 114).

Sin duda que acertó el Marqués al decirnos que
sus mayores joyas, las mayores joyas que a todos
nos legó, fueron sus libros —los propios y los aje-
nos— y sus traducciones. La referencia a tresla-
dos nos declara que hablaba el autor de su propia
biblioteca, repleta de traducciones de autores latinos y de otros. De pocas cosas parecía haberse
gloriado más que de haber sido el primero en
lograr que se tradujeran al castellano algunas
obras latinas, para hacerlas así accesibles a los
que no podían leer con facilidad los originales:

> A ruego e instançia mia, primero que de otro
> alguno, se han vulgariçado en este reyno al-
> gunos poemas, asi como la *Eneyda*, de Virgi-
> lio, el libro mayor de las *Transformaçiones*, de
> Ovidio, las *Tragedias*, de Luçio Anio Seneca
> (*CF* 3)

¡Qué bien nos suenan hoy aquella defensa y
propagación del libro, promulgadas en vísperas de
la invención de la imprenta!

ELOGIO DE LA RAZON

Lo que hacía al humanista no era la mera
retahíla de nombres de escritores clásicos. También Juan Ruiz había citado a Aristóteles:

> Como dize Aristotiles, cosa es verdadera,
> el mundo por dos cosas trabaja: la primera,
> por aver mantenencia; la otra cosa era
> por aver juntamiento con fenbra plazentera (*LBA* 71).

La revista, en contraste, de Juan de Mena a Aristóteles producía una nueva selección: omnis homo naturaliter scire desiderat *que quiere dezir que todo onbre desa saber naturalmente*[22]. *Es esa la selección que al crítico le importa analizar, para comprender mejor cómo fue que ciertos sectores conservadores se alarmaran ante estos brotes del saber humanístico en Castilla. Siempre tuvo el conservador más recelo de las nuevas ideas que de los pecados de los hombres. Mientras que el pecado volvía al hombre contrito y humilde ante los ojos de Dios, las ideas le hacían soberbio, escéptico y tibio. La obra más superficial y ñoña del Marqués es la de temas devocionales*[23]. *El humanismo había deslumbrado del todo al escritor; no podía conmoverse ante las Postrimerías de la teología quien había cantado inspiradísimo la armonía de los Campos Elíseos. No podía emocionarse ante los santos quien había escogido como modelos a Homero, Virgilio y Lucano; quien, como consolador, había preferido el ejemplo del pagano Bías, al del bíblico Job. Ni podía ilusionarse con las Bienaventuranzas evangélicas quien había sido el primero en parafrasear en castellano el* Beatus ille *horaciano. En fin, no podía conmoverse con las verdades de la fe quien había proclamado como suprema guía y norma de moralidad a la razón:* La razón obedescet *(DP 12); quien en otra ocasión diría que no le increpara la jerarquía, si con ello se ofendía, pues* raçón ... de todo blasmo mi fablar deffiende *(CP 37).*

---

[22] *Coronación* (compuesta por el famoso poeta Juan de Mena al ilustre cavallero don Iñigo López de Mendoza), fol. 53.

[23] Entre otras simplezas pías del Marqués de Santillana está la de llamar a la Virgen María *fija, esposa, e madre* del Eterno Padre (*Obras*, p. 304), así como el error histórico de confundir la labor de Santo Tomás con la de San Agustín: *Vi la resplandor d'Aquino, / Terror de los manicheos* (*Obras*, p. 305). Añádase: *Magestat estuporosa... / Una sola, dos e trina* (*Obras*, p. 306).

El diálogo Bías contra Fortuna *es todo él un himno a la sabiduría, a la racionalidad. Bías protagoniza la razón, Fortuna, la sinrazón. Se abre el poema con una argumentación acalorada entre los dos personajes; Fortuna está nerviosa, agitada; Bías, muy sosegado, formula un seguro reto:*

> Faz lo que façer podrás
> Ca yo vivo por raçon (1).

Más adelante:

> Virtut raçional poseo:
> Pues veamos, ¿qué farás? (34).

Y más tarde le advertiría el sabio a Fortuna que su poder era grande, pero sólo contra quien no ha saber (73).

El Marqués de Santillana nos recontó, en castellano, una creación del hombre donde no hizo mención alguna del pecado original, pues su creación era toda ella mundana perfección, útil conjunción y concordanza, con unos seres sometidos al poder universal del hombre. Por eso, este nuevo hombre, racional y superior a todos los otros seres, dejaría ya de escuchar a los animales de los apólogos medievales, para leer sólo a los poetas, oradores y filósofos del pasado. En la nueva manera del Marqués eran los animales los que se rendirían reverentes ante el hombre. En la Defunssión de don Enrique las fieras deformes se conmoverían y consternarían dolorosas ante la muerte del sabio. Con ello se ponían las letras castellanas en ruta hacia los motivos de Garcilaso, quien al comienzo mismo de su Primera Egloga nos presenta al cuitado pastor cuyas ovejas al cantar sabroso/

estaban muy atentas, los amores/ de placer olvidadas, escuchando.

ARMAS Y LETRAS

Sigamos definiendo el humanismo español en función de los textos de nuestros escritores, y veremos en qué alto grado se dejaba sentir el nuevo movimiento cultural en la Primera Generación castellana. Ante la realización en Castilla del motivo de la armonización de las armas y las letras, poetizado ya por Homero y protagonizado en la persona de Julio César, que se inclinen los demás humanistas, que pasa el Marqués de Santillana. Con éste se cultivó el suelo y la mentalidad española en el siglo XV, de manera que en los dos siguientes pudiera madurar el fruto como en ningún otro terreno. Nos lo asegura E. R. Curtius:

> «... jamás en lugar otro alguno la combinación de la vida de las Musas y la vida del guerrero se han realizado tan brillantemente como en el período de florecimiento de la España de los siglos dieciséis y diecisiete —baste con traer a la mente a Garcilaso, Cervantes, Lope y Calderón. Todos ellos poetas que también participaron en guerras.» [24]

De atrás les venían a los españoles tales glorias, herederos como eran del Rey Sabio, de don Juan Manuel y del Canciller de Ayala. El Marqués de Santillana, sobrino de este último, quiso ser ejemplo y teorizador de la deseada combinación. Sucediendo su época a la Edad Media, edad soberanamente belicosa, no pudo sustraerse el Marqués a

---

[24] *O.c.*, p. 178; añadía Curtius que ni en Italia ni en Francia podemos encontrar un fenómeno semejante.

una actitud un tanto defensiva, contra aquellos que creían que era el cultivo de las letras tarea de débiles o pusilánimes, lo que le llevó a proclamar para las generaciones futuras: la sçiençia non embota el fierro de la lança, nin façe floxa el espada en mano del cavallero *(PP 3). En la* Carta a su fijo *explicaba así por qué le interesaba la traducción de la* Ilíada, *de Homero:*

> «... agradable cosa sera para mi ver la obra de un alto varón e quassi soberano prínçipe de los poetas, mayormente de un litigio militar e guerra, el mayor e mas antiguo que se cree aver seydo en el mundo» (CF 1).

Curtius se olvidó de hacer mención del Marqués de Santillana, pero a los contemporáneos de éste no les pasó inadvertida la ejemplarización en el noble escritor de la armonización de las armas y las letras. Juan de Mena le pagó el primer tributo de admiración:

> En cuyas manos la luz soberana
> Quiso que reluzgan las armas e toga,
> Asy que lo uno lo al non deroga
> Antes lo funde, lo suelda e lo sana *(Obras 321).*

Y Gómez Manrique elogiaba a nuestro poeta de esta manera:

> Vos soys de los sabios el más excellente
> E de los poetas mayor que Lucano,
> Pues nunca en las lides el fuerte troyano
> Non fue mas ardido, nin tanto valiente *(Obras 326-27).*

Fue Juan de Mena quien había reconocido en las letras la virtud de soldar y sanar las heridas que abrían las adversidades de la guerra y de la política. Y el Marqués de Santillana, muy cerca de

ese sentir, escribió el diálogo de Bías contra Fortuna, *dedicado a su primo, el Conde de Alba, para
que en la cárcel le sirviera de* consolaçión.

*Y ahora, pasemos a corregirle la página a otro
de los generalistas, Spingarn, desconocedor de las
ideas de nuestros escritores, quien, en lugar de
reconocer su ignorancia,* se contentó con despa-
char la poética española considerándola un re-
cuerdo de teorías italianas, *según comenta el
citado Kohut* [25]. *He aquí una de las conclusiones
de Spingarn:*

> La poética del *Cinquento* heredó pues en
> forma teorética una defensa de la poesía clá-
> sica contra las acusaciones de paganismo e
> inmoralidad, una defensa del estudio de las
> letras contra las acusaciones de afemina-
> miento e inutilidad práctica, una defensa de la
> literatura clásica como fuerza educativa y re-
> finadora, una defensa del estudio literario en
> general, no como mero estudio humanístico,
> sino como la consumación del caballero y el
> cortesano, como un elemento en la cultura
> general [26].

*De no saber que se refería a los italianos, cree-
ríamos que resumía los impulsos y logros de la
Primera Generación castellana, ya en la primera
mitad del siglo XV.*

---

[25] *O.c.,* p. 1.
[26] *A History of Literary Criticism in the Renaissance,* pp. 315-16.

TEORIAS LITERARIAS
DEL MARQUES DE SANTILLANA

> «... para qualquier pratica mu-
> cho es necesaria la theorica, e
> para la theorica la practica»
> (PP 3)

NATURALEZA DE LA INSPIRACION POETICA

*Desde tiempos inmemoriales poetas y filósofos
han hablado de la naturaleza de la inspiración
poética. El concepto platónico de la poesía como
emoción, furor divino, fue revitalizado por los escritores italianos en el primer despertar del humanismo. A Dante se le llamaba poeta-teólogo; su*
Commedia, *divina. Petrarca, siguiendo a Albertino
Mussato, defendía la poesía y enseñaba que la
teología era una poesía que procedía de Dios.
Boccaccio hablaba larga y fervorosamente de la
poesía como procedente del seno de Dios —ex sinu
Dei—. Cuando Boccaccio hablaba de poesía, hablaba en latín.* [27]

*Iñigo López de Mendoza, el primer teoricista
que aborda el tema de la poesía en una lengua
vernácula, no mostraba ya un fervor tan religioso
al referirse a su naturaleza. Más que a los predecesores inmediatos italianos, con su religioso sentir,
se parecía a Horacio, vago y sugestivo, con res-*

---

[27] Para mayores detalles informativos remito al lector a mis artículos Otras huellas de Horacio en el Marqués de Santillana, y Paráfrasis de Cicerón en la definición de poesía de Santillana.

pecto al origen de la inspiración poética. La poesía era una de las sçienças *infusas (PC 3), consistiendo en un* zelo çeleste, *una* affection *divina, un insaçiable* çibo *del animo (PC 2).*

Apenas si podríamos hallar en toda la obra del Marqués una caracterización mejor lograda que esta de la inefabilidad de la poesía; se entrecruza en ella lo racional con lo sentimental, lo conceptual con lo retórico, en un triplete a la vez sinonímico y onomatopéyico. Se concentra en su brevedad el cálido entusiasmo del poeta, y podemos barruntar su frustración ante la incapacidad de expresar plenamente la abundancia de su alma, las acumulaciones de su insaciable ánimo. El poeta, intermitentemente, tropieza en su balbuceo con el fonema ç: zelo, çeleste, afectión, insaçiable, çibo. *El poeta se refugiaba en la* annominatio: zelo çeleste; *y en los latinismos:* affection, çibo; *no pudiendo menos que dejarse arrebatar por una licencia poética muy atrevida —empleada por los latinos para efectos especiales—, la* hypallage: *insaçiable çibo del ánimo, en pugna de sintasis con significado; de no haber estado el poeta tan abrumado por la inspiración, habría dicho: çibo del insaçiable ánimo* [28].

¿Es que alguien, entre los italianos, había teorizado sobre la inspiración poética con comparable profundidad, belleza y brevedad?

LA NOBLEZA DEL POETA

El poeta adquiere con el Marqués de Santillana carta, en lengua romance, de naturaleza aristocrá-

---

[28] Este tipo de cambio gramatical recibe el nombre de *enallage adiectivi* o *hypallage adiectivi*, explicado con variedad de ejemplos por H. Lausberg, *Manual de retórica literaria*, II, p. 145.

tica, *esa naturaleza que había de ser ensalzada por los humanistas de toda Europa:* nunca esta sçiençia de poesía e gaya sçiencia se fallaron si non en los animos gentiles, claros ingenios e elevados spiritus (PC 2). *Para Horacio el vate era sacro* (Od. *4.9.28) o divino* (Ars *400); el Marqués* en Comedieta de Ponza *(104) nos hablaba de los* sacros poetas. *No era ésta una pasajera corazonada en nuestro escritor, ni tampoco parece estar inspirada en los italianos. El arte de Marqués era un arte paganizante, y como tal, con gran atrevimiento, invocaba en* Defenssión de don Enrique *al propio finado,* cuya graçia e sacra prudençia *(3) le habían de bastar al poeta; al final, las Musas proclamarían que don Enrique* ha por suyo el çielo elegido / E puesto en compañía de superno choro (DE, *21). En la doctrina cristiana, la de los conservadores, era santo aquel que la Iglesia declaraba digno de veneración por haber obtenido el cielo. El santo de la* nueva manera *del Marqués era el poeta-sabio, cuya venerabilidad era proclamada por las Musas; idea ésta, no de la tradición medieval, sino de rancio sabor horaciano, pues fue este gran preceptista latino quien había dicho:* Dignum laude virum Musa vetat mori,/ caelo beat (Od. *4.8.28-29). Incluso la imagen del* superno choro *se asemeja a la de Horacio, cuando, en una oda dedicada a Melpómene, confesaba su orgullo de que Roma le incluyera entre los amables coros de los vates:* inter amabilis vatum... choros (Od. *4-7.5-6).*

¿QUE COSA ES POESIA?

Le cabe a Iñigo López de Mendoza el gran honor de haber sido el primer escritor que se planteó

*y respondió, en lengua vernácula, la pregunta más
ambiciosa de la crítica literaria:*

> ¿E que cosa es la poesia (que en nuestro vul-
> gar *gaya sçiençia* llamamos), syno un fingi-
> miento de cosas utiles, cubiertas o veladas
> con muy fermosa cobertura, compuestas, dis-
> tinguidas e scandidas por çierto cuento, peso
> e medida? (*PC* 3).

*La definición es condensada y comprensiva; en
ella se compendia la esencia, la finalidad, la materia y la forma interna y externa de la poesía. Las
fuentes del Marqués fueron legión; él mismo sería
el primero en admitirlo, con orgullo, pues era la
ocupación deleitosa de sus años de madurez la de
escuchar a sus antepasados. Pero el Marqués tenía
alma de poeta y, como tal, su definición es la
enunciación de su teoría y de su práctica. Los
rebuscadores de las fuentes del Marqués, taca-
ñamente, rehusaron confesar que la definición de
éste superaba a todos los presuntos modelos; y
no sólo en la dicción, en el estilo, sino, sobre todo,
en su proclamación, sin ambages, de que la poesía
era esencialmente ficción.*

POESIA COMO FINGIMIENTO

*Farinelli y Lapesa, entre otros, han sido poco
generosos hacia la originalidad del Marqués de
Santillana, a quien nos le presentan, en materias
serias de ideas poéticas, poco más que como un
servil parafraseador de Boccaccio. Ahora bien,
Dante, Petrarca y Boccaccio eran auténticamente
medievales en su identificación de teología y poesía, de poesía y verdad; en la vieja línea platónica
de los apologetas cristianos, defendían ellos que la*

poesía estaba exenta de mentiras. Es por eso que Boccaccio defendía que el vocablo poesia *no se derivaba del griego* poio *(«quod idem sonat quod fingo, fingis»).*

Es interesante que Boccaccio se preocupara de las relaciones etimológicas de los términos, al querer definirlos, pues era así preceptuado por las retóricas. La etymologia *descubre la* verdad *original de las palabras, como decía Quintiliano* [29]. *Quiere decir que, de haber seguido el Marqués de Santillana el texto de Boccaccio tan de cerca como quieren hacernos ver los críticos, difícilmente se le hubiera ocurrido afirmar lo que el presunto maestro había negado —que poesía fuera ficción—, a no ser que veamos en el escritor castellano a un reaccionario; y reaccionario fue.*

El Marqués de Santillana, más que a Boccaccio, se unía en su selección del vocabulario a don Enrique de Villena, para quien el arte de la poesía consistía en fingir, *término que repite intermitentemente, por ejemplo, en las notas de su versión de la* Eneida, *de Virgilio. Cuando el Marqués poetizaba el encuentro de Bías con Fortuna, decía:* fíngese que la Fortuna le vino al encuentro *(PB 5).*

La poesía como fingimiento era otro constitutivo de la nueva manera *que significaba una ruptura con el verismo, el realismo y el popularismo de la poesía castellana tradicional; como a Virgilio, al nuevo poeta castellano, humanista, no se le iba ya a reprobar que cambiara la historia,* por cuanto de la liçençia poética es permiso *(GP 44)* [30].

---

[29] *Institutio oratoria,* 1, 6, 28; cf. Lausberg, *o.c.,* II, p. 18.
[30] Santillana había dado un paso adelante considerable con relación a su contemporáneo Pérez de Guzmán; éste, más historiador que poeta, no había sabido comprender la *utilidad* de la poesía de Virgilio, cuando juzgaba que *más es delectable que fructifico, / El fermoso estilo del grant mantuano (Coplas,* 128, en *Cancionero Castellano).*

En contraste con el Cantar de mio Cid, *con Berceo, con don Juan Manuel y los dos Arciprestes, que narraban guerras, milagros, anécdotas y sucesos varios* sub specie veri, *Iñigo López de Mendoza, en su arte de madurez, cultivaría y promovería una poesía de integración humanística, que saltaba fuera de las iglesias, los palacios, las plazas y las sierras, para trepar hacia las alturas de los mitos y las peregrinas historias, como él mismo las llamaba. No era necesaria ya la verdad del suceso; el poeta tenía licencia para fingir, con tal que su obra fuera útil.*

FUNCION DE LA POESIA

El objeto de la ficción eran las cosas útiles; la finalidad del arte como utilitaria y edificante tenía raíces muy hondas en la tradición literaria. A Platón le siguió Cicerón, en la formulación de la finalidad del orador como la de docere, delectare, movere. *Horacio aconsejó a los poetas que debían, si querían puntuar alto como artistas, mezclar lo útil con lo dulce:* Omne tulit punctum qui miscuit utile dulci, / Lectorem delectando, pariterque monendo *(Ars 343-44).*

Horacio fue el gran oráculo de los poetas humanistas. Entre éstos se colocó muy temprano el Marqués de Santillana, no sólo al proclamar la utilidad de la ficción, sino al proscribir al mismo tiempo las composiciones de los trovadores por no ser otra cosa que metaphoras vanas con dulçe loquela *(CP 3). La utilidad significaba edificación moral; significaba escribir metros que fueran* un estímulo o espuelas atrayentes e provocantes a toda virtut *(PP 3), que contuvieran* las buenas doctrinas, los provechosos ejemplos e utiles narraciones *(PP 5).*

No es que queramos decir que el provecho moral de la composición fuera una innovación en las letras castellanas; la nueva manera *consistía en que el poeta humanista se remontaba a la antigüedad clásica y pagana en busca de los* provechosos ejemplos, *útiles, no por su lejanía, sino porque tenían más que ver con la situación presente y vital del escritor y de su destinatario. La figura ejemplar del viejo Bías era escogida por su valor imperecedero de actualidad; nos dice el Marqués que era su intención la de* escribir ... algunos de sus nobles e loables actos e conmendables sentençias, porque me paresçe façe mucho a nuestro fecho e caso *(PB 3)* [31]. *El caso del destinario, el conde de Alba, era el de encontrarse encarcelado.*

La utilidad de la composición era su finalidad consolatoria. Podremos decir que el Marqués de Santillana se adelantó a los demás humanistas en proclamar los efectos de consolación y reposo que la poesía proporcionaba en situaciones de adversidad. No tenía, pues, razón J. W. H. Atkins cuando afirmaba que la idea de que la poesía fue dada a los hombres como consolación *por las miserias de la vida era* nueva *en* Nutricia *de Poliziano (n. 1454)* [32]. *El Marqués de Santillana había, mucho antes, suplicado a su hijo que le hiciera la traducción de la Ilíada de Homero para* consolaçión e utilidat *suya y de otros, agregando que, junto con el deleite, encontraba él en las lecturas de los poetas clásicos* un singular reposo a las vexaçiones e trabajos que el mundo continuamente trahe

---

[31] Una vez más convendrá parangonar la sensibilidad de Santillana con la de Horacio, quien aconsejaba que uno debiera verse a sí mismo reflejado en la narración: *mutato nomine de te/Fabula narratur (Serm.* 1., 1, 70).

[32] Afirmaba Atkins: *New... was Politian's contention (in Nutricia) that poetry had been given to men as a consolation for the miseries of life (English Literary Criticism: The Renascence,* p. 25).

(CF 3). El conde de Alba, nos dice el Marqués que le había pedido desde la cárcel que le enviara algunos de sus trabajos por consolaçión *(PB 2). Tales efectos consolatorios de las lecturas literarias habían sido expuestos por Cicerón y Horacio; este último, entre los oficios del poeta, había destacado el de consolar al desvalido y enfermo:* inopem solatur et aegrum (Epist. *2.1.131).*

PARAFRASIS DE CICERON

Ya he dicho que Iñigo López de Mendoza, en contraste con los italianos anteriores a él, rehusó identificar poesía y teología.

Sus ideas poéticas pertenecían ya a una etapa ulterior en la evolución de las teorías literarias, que consistía en la identificación de poesía y elocuencia. Guardaba nuestro escritor en su biblioteca un tratado muy serio, poco comentado en la Edad Media, de Cicerón, el De oratore. *Se dice que el descubrimiento de esta obra, en un manuscrito que también incluía el* Orator *y* Brutus *del mismo autor, había conmovido en 1421 a los humanistas italianos*[33].

Cicerón es el escritor mencionado con más frecuencia en los escritos del Marqués. En él recono-

---

[33] Cf. R. R. Bolgar, *The Classical Heritage*, p. 396. Por lo que respecta a España, además de existir el *De oratore* en la biblioteca del Marqués, aparece en referencias de don Alonso de Cartagena, *La rethorica de M. Tullio Cicerón*, p. 30, y en la *Respuesta* a la pregunta del Marqués (*Obras*, p. 493). En todas estas cuestiones habrá que tener en cuenta que de la mención de las obras se pueden deducir lógicamente el conocimiento de su existencia; sin embargo, de la no mención, no podrá deducirse la no existencia. Ni podríamos asegurar que España tuviera que depender absolutamente de las obras que vinieran de Italia; contamos con un documento en que se nos asegura que el Papa Clemente VI solicitaba al Obispo de Valencia algunas obras de Cicerón, con el fin de copiarlas para su biblioteca (cf. di Camillo, *o.c.*, p. 23).

cía el castellano al moralista del **De** Officiis *y al preceptista literario:* Tullio que explana/E çendra los cursos del gentil fablar *(CP, 40). Pues bien, ¿leyó el Marqués el* **De** oratore?

El caso es que en el Prohemio e carta *he podido comprobar un sinnúmero de reminiscencias de dicho tratado. El Marqués dedicaba el* Prohemio *a don Pedro, el joven condestable de Portugal, caracterizando sus primeras composiciones como de alegres pasatiempos juveniles que, como explicaría seguidamente, desdecían por el entonces de su ya madura edad. Cicerón, al comienzo, se dirigía a su hermano Quinto, y se refería a las rudas obras de su temprana edad, difícilmente del gusto de sus años maduros.*

Continuaba Iñigo López de Mendoza diciéndole a su joven admirador que había leído algunas de sus composiciones y que le placía mucho verle tan interesado en cosas de poesía, ciencia más que humana, propia de los más elevados espíritus. Cicerón, en otros pasajes, se refería a las dotes naturales que el orador había de poseer, y animaba a los jóvenes a desarrollar esas aptitudes innatas, que el autor caracterizaba como dones divinos, tan extraordinarios y raros, que convertían la oratoria en arte de pocos.

Cicerón pasaba a definir la oratoria de acuerdo con las cinco partes tradicionales: inventio, dispositio, elocutio, memoria *y* pronunciatio;

«... omnis oratoris vis ac facultas in quinque partes distributa: ut debere reperire primum, quid diceret: deinde inventa non solum ordine, sed etiam momento quodam atque iudicio dispensare atque componere: tum ea denique vestire atque ornare oratione» *(De orat.* 1.31.142).

El Marqués de Santillana eliminaría de su definición de poesía aquellas funciones de memoria y pronunciación *que atañían de cerca al orador, al tiempo que organizaba los elementos de acuerdo con los tres elementos comunes al orador y al poeta: la* invención, *la* disposición *y la* elocución. *Las variantes de la definición castellana son las mínimas y las necesarias para la distinción del oficio peculiar del poeta.*

INVENTIO

ORATOR reperire primum quid dicere.

POETA fingimiento de cosas útiles.

DISPOSITIO

ORATOR inventa non solum ordine, sed etiam momento quodam atque judicio dispensare atque componere.

POETA compuestas, distinguidas e scandidas por çierto cuento, pesso e medida.

ELOCUTIO

ORATOR tum ea denique vestire atque ornare oratione.

POETA cubiertas o veladas con muy fermosa cobertura.

En la paráfrasis no sólo se atiene el Marqués de Santillana a la estructura del modelo, sino que incluso nos transmite en castellano patrones estilísticos y verbales del texto latino, como la pluralidad ternaria ordine, momento quodam atque iudicio: *çierto cuento, pesso e medida;* quodam: *çierto;* componere: *compuestas; y otros menos obvios, pero no menos exactos,* ordine: *cuento (por números ordinales);* momento: *pesso (junto con* dispensare: *distinguir por el peso).*

Es decir, que era propio del poeta, en un arte

que había de superar al de la prosa, el fingimiento, escandir, contar, pesar y medir las palabras y las sílabas.

Si alguno de los lectores mantiene algún escrúpulo sobre la relación del texto del Marqués de Santillana con el de Cicerón, que lea lo que éste nos sigue diciendo tras la definición de poesía; es el propio escritor quien nos disipa las dudas, al confesarse deudor del preceptista latino, a quien identifica por nombre:

> E si por ventura las sçiençias son desseables, assy como Tullio quiere, ¿qual de todas es mas prestante, mas noble, e mas dina del hombre? o, ¿qual mas extensa a todas espeçies de humanidat? Ca las escuridades e çerramientos dellas, ¿quien las abre, quien las esclaresçe, quien las demuestra e façe patentes sinon la eloqüençia dulçe e fermosa fabla, sea metro, sea prosa?

Se acerca el estilo del Marqués de Santillana al modelo ciceroniano en el encadenamiento de preguntas retóricas; se acerca en la caracterización de la elocuencia como la ciencia mas prestante, *latinismo que vierte el* praestabilius *del modelo (1.8.30); se acerca en el concepto universalista, maximalista de la elocuencia, que se extiende a* todas espécies de humanidat *(compárese con* oratorem in omne genere sermonis et humanitatis esse perfectum, *1.9.35).*

Antes de concluir esta sección quiero presentar al lector la definición de poesía de Boccaccio, la que otros críticos han considerado la fuente del Marqués, y que el lector decida sobre qué modelo es el más digno y probable; la poesía era, para el italiano, fervor quidam exquisite inveniendi atque dicendi seu scribendi quod inveneris [34].

Según el análisis de Karl Vossler la poesía del renacimiento pasó en Italia por tres etapas sucesivas: de identificación con teología, con elocuencia y con retórica y filología [35]. En la segunda etapa es donde hemos de situar al Marqués de Santillana, quien, al definir la poesía, lo hizo sobre un patrón clásico de la definición de oratoria.

---

[34] *Genealogiae deorum gentilium libri*, II, p. 700. De las influencias de Boccaccio han hablado Farinelli, *Italia e Spagna*, I, pp. 189-90, y R. Lapesa, *o.c.*, p. 250. O. di Camillo ha reconocido debidamente que Santillana —al considerar, según el crítico, que la poesía era *la forma más alta de la filosofía*— fue *más lejos que el propio Boccaccio, puesto que este último sólo puso a la poesía al nivel de la teología (o.c.*, p. 99). A todos los que admiramos el esfuerzo del Marqués nos impacientará leer que O. di Camillo achacaría el adelantamiento de Santillana a su *ignorancia* de Boccaccio y de otros humanistas italianos: *la identificación de la poesía con la filosofía, y no con la teología, se debe principalmente a la confusión de Santillana respecto al significado de estos términos, y a su ignorancia de los argumentos humanísticos sobre tales materias (o.c.*, p. 107). La verdad es que la sensibilidad de Santillana estaba muy cerca de la de Cicerón y Horacio, y que cuando los italianizantes no encuentran las fuentes en Italia, tienden a creer el producto efecto de *confusión* o *ignorancia*.

[35] K. Vossler da conclusión a su estudio con estas palabras: *Um es in drei Schlagworten zu sagen: die Entwickelung führt vom Dichtertheologen über den Poeta Orator zum Poeta Rhetor and Philologus* (*Poetische Theorien in der italienischen Frührenaissance*, p. 88).

LA REACCION CONTRA
LOS ROMANCES

Se ha hecho costumbre inveterada de los críticos literarios juzgar la literatura española en función de los movimientos culturales de otros países europeos. Quiere decir que los críticos de la literatura española han ido en pos de los de otras literaturas y han tratado de analizar los fenómenos de la nuestra con términos y con conceptos principalmente foráneos. Bajo estos criterios se explica que se hayan acomodado entre nuestros estudiantes las generalizaciones —si no complejos— sobre los movimientos literarios españoles como frutos tardíos *o* tardanza, *acuñadas por R. Menéndez Pidal y E. R. Curtius, respectivamente. Ambos críticos, dicho sea en honor a la verdad, para evitar una interpretación peyorativa de sus enunciados, los determinaban añadiendo que precisamente por ser* tardíos, *eran los frutos de mejor sazón, o que la* tardanza *de España no significaba* torpeza[36].

---

[36] Menéndez Pidal, *Caracteres primordiales de la literatura española con referencias a las otras literaturas hispánicas, latina, portuguesa y catalana*, p. LIII; E. R. Curtius, *o.c.*, p. 541. Si hemos de hablar de frutos, los caracterizaríamos más acertadamente como *de injerto*,

Generalizaciones de este tipo tienden, necesariamente, a predisponer a nuestros estudiantes y críticos, y animarlos, con entusiasmo, a la búsqueda de fuentes extranjeras en el suelo hispánico. Al mismo tiempo, tienden a disuadirlos de interpretar un texto español como anticipación de un movimiento europeo posterior de gran dimensión. Tales tendencias pueden explicar muy bien la proliferación de fuentes extranjeras sobre los autores castellanos o —como en nuestro caso particular— la falsa interpretación del texto español, cuando no se han encontrado precedentes extranjeros, por mucho que fueran los textos subsiguientes del mismo cariz.

Uno de los textos más celebrados del Marqués de Santillana es el de la clasificación de los estilos y la condena de los romances que consideraba ínfimos. Para comprender mejor la postura del Marqués vamos a examinar su texto en la perspectiva de otros de sus contemporáneos, Enrique de Villena y Pérez de Guzmán, quienes también reaccionaron con bastante vehemencia contra las crónicas. La perspectiva adquirirá dimensiones universales al juzgarla en el contexto de la reacción humanística contra los romances medievales, que sacudiría la conciencia de los preceptistas europeos de años posteriores [37].

Las reacciones literarias, en su gran mayoría, han sido esencialmente efectos de causas internas a cada cultura, bien por abuso, agotamiento o

---

siendo la tarea del crítico español analizarlos en su propia sustancia, sin necesidad de estar siempre relacionándolos con Italia y Francia, haciendo uso de un vocabulario crítico definido a la italiana o la francesa, lo que nos sitúa irremediablemente en una actitud defensiva.

[37] En este trabajo se reducen el texto y la bibliografía de mis dos artículos, *Romance según los textos españoles del Medievo y Prerrenacimiento*, y *The Reaction Against Medieval Romances. Its Spanish Forerunners*.

cansancio de una situación que había prevalecido por mucho tiempo. La imitación de los modelos antiguos o extranjeros, más que la causa de la reacción, era un argumento de justificación para el cambio deseado. Los escritores innovadores y reaccionarios han necesitado siempre hacer uso de célebres antepasados, de autoridades bien establecidas, con el fin de demostrar a sus contemporáneos, y demostrarse a sí mismos, las razones de sus motivos, la excelencia de sus nuevas maneras y metas. Quizá ningún otro movimiento cultural se haya mostrado más antagonístico hacia sus predecesores inmediatos que el Renacimiento, y ninguno ha empleado con más abundancia o efectividad el argumento de que los tiempos pasados fueron mejores. En Italia el Renacimiento se veía, con legitimidad, como la revitalización de su pasado lejano, revitalización que apareció casi simultáneamente con su despertar a la creación literaria en lengua vernácula. En España, que contaba con una tradición literaria medieval muy sólida y altamente influenciada de la tradición árabe, las antiguas Grecia y Roma fueron buscadas como solaz y refugio. La Edad Media había corrido ya su curso; curso cuyo panorama aburría ya y molestaba a los de nuevos gustos.

Concentrémonos en España; notablemente cada siglo medieval pareció surgir coloreado por una peculiar comezón de desprecio por la desordenada literatura popular. Los proponedores de cada nueva manera, lo harían de acuerdo con su idiosincrasia artística. Así, el Mester de Clerecía, como expone el autor del Libro de Alexandre, *no pudo disimular su desdén por el de Juglaría, al tiempo que se deleitaba en su nuevo arte impecable:*

Mester trago fermoso, non es de ioglaría,
Mester es sen peccado, ca es de clereçía,
Fablar curso rimado por la quaderna via,
A sílabas cuntadas, ca es grant maestría (2).

Desde ese momento en adelante, la Clerecía no cejaría por adueñarse del román paladino, *con el fin de librarlo del rudo y licencioso vecino y convertirlo así en objeto de arte, de complacencia estética.*

A comienzos del siglo XIV encontramos una proscripción de los Romances de amor, *que San Pedro Pascual, obispo de Jaén, condenaba por estar entretejidos de mentiras y engaños:*

«... amigos cierto creed, que mejor despenderedes vuestros dias y vuestro tiempo, en leer e oyr este libro, que en dezir e oyr fablillas y *Romances de amor*, y de otras vanidades, que escrivieron de vestiglos e de aves, que dizen que fablaron en otro tiempo, e cierto es, que nunca fablaron, mas escribieron lo por semejanças. E si algun buen exemplo ay, ay muchas malas arterias y engaños para los cuerpos y para las animas» [38].

Los romances *eran también condenados en otras partes de Europa por los PP. Dominicos, como se nos informa en una carta del rey Juan de Bohemia:* In magnum... dedecus et conteptum facti sunt Romancii, chronicae et moteti [39]. *¿No son estos los* romances, crónicas *y* cantares *de que se nos habla en los textos castellanos?*

Hacia mediados del siglo XIV, cuando la literatura adquiere su plenitud en España, dos autores de diferente sensibilidad estética se sumarían,

---

[38] En Juan Argote de Molina, *Nobleza de Andalucía*, p. 362.
[39] En Du Cange, *Glossarium Mediae et Infimae Latinitatis*, s.v. *Romanus*.

cada uno a su estilo, al ataque contra las prácticas de los descuidados escritores de su época. Don Juan Manuel, *que escribió el* Conde Lucanor para los legos et de non muy grand saber, *exponía en el prólogo su enorme interés por la prosa cuidada:* este libro, compuesto de las más apuestas palabras que yo pude, *unido a un celo especial porque el texto del copista fuera fiel al original. Así pues, en una ocasión Don Juan Manuel aprobaría la conducta de un caballero de Perpignan quien, al oír a un zapatero cantar una de sus composiciones* mal ordenadamente, *enfurecido entró en la tienda y con unas tijeras hizo pedazos cuantos zapatos halló a su alcance. El zapatero apeló al rey. El caballero justificó su conducta sobre la base de que había tratado de vengarse por el maltrato que el demandante había hecho de su cantar.* [40]

El célebre Arcipreste de Hita, el admirador del hombre ordinario, no dejó de reconocer el estado calamitoso de las composiciones que el populacho recitaba. Uno de los grandes objetivos de su Libro de Buen Amor *era de* dar [a] algunos lección e muestra de metrificar e rimar, e de trobar [41]. *Merece la pena recordar que al autor le gustaba llamar a su libro* romance. *Conocedor de que los romances eran censurados por muchos, justificaba el suyo, por su forma:* fablarvos he por trobas e por cuento rimado: es un dezir fermoso e saber sin pecado *(15); y por su contenido:* non vos diré mentira quanto en él yaz *(14).*

A comienzos del siglo XV, como veremos, el

---

[40] Juan Manuel, *Obras,* pp. 233-34. También en Italia tenemos el caso de la irritación de Dante ante los sonetos y Canzoni que cantaban y parodiaban los herreros y muleros (en Franco Sacchetti, *Novelle,* 114 y 115).

[41] *Libro de Buen Amor,* p. 79.

término romance *se extendía hasta comprender
una crónica del Cid en prosa. Como en otras partes de Europa, pues, el significado de* romance *era
lo suficientemente amplio como para designar
composiciones extensas tanto en verso como en
prosa; o sea, que los tres términos* romances, crónicas *y* cantares *abarcaban una larga gama de
géneros literarios en lengua vernácula.*

*En la primera mitad del siglo XV los tres dis-
tinguidos escritores mencionados, Enrique de
Villena, Ferrán Pérez de Guzmán e Iñigo López de
Mendoza levantaron sus voces de protesta contra
las realizaciones castellanas de* crónicas, romances *y* cantares, *basándose en sólidas bases literarias.*

*Enrique de Villena, en sus curiosas y valiosísi-
mas notas a la versión de la* Eneida *de Virgilio
—la primera que se hacía a una lengua romance—* [42], *fustiga a los escritores de crónicas en
Castilla, a los que, con manifiesto menosprecio,
caracterizaba como escritores de cámara romançistas...* Homes legos, ayunos de sçiençia, ygnorantes la lengua latina. *Sus obras eran conde-
nadas por varias razones, largamente expuestas:*

> «... que no bieron otras ystorias sinon las que
> ellos hordenauan ... scriuanos todos ygnoran-
> tes latin, y por eso los llama romançistas; y
> ponelo por tal continuaçion: como si ordena-

---
[42] *Eneida,* MS cit., en la nota 6, más arriba. La página se dará en el
texto, tras la cita. En alguna ocasión se cita por la reciente
edición de R. Santiago Lacuesta, *La primera versión castellana de
la Eneida de Virgilio;* esta edición carece de las glosas que tan
importantes son para un mejor conocimiento de la cultura del
siglo XV. Hablando de esto, decía Menéndez Rayón: *el libro que
nos ocupa es más curioso, por las notas que contiene que por su
traducción, puesto que se las puede considerar como verdadera enci-
clopedia de todos los conocimientos divinos y humanos de su tiempo*
(La Eneida de Virgilio traducida por Enrique de Villena, p. 446).

sen proçesos non curando del Horden artifiçial
que guarnesce mucho las obras, donde se
siguen todos los ynconbenientes que en el
testo o del ante dize y muchos que el pressente cumple dirigir» (f. 11).

Su condena de los romançistas *se basaba en
su descuido del arte y del orden* —Horden artifiçial—, *así como de la dicción:*

«... non encomendar, siquiere fiar, el fazer de
las coronicas ha scriuanos de Camara romançistas, según en estas se faze partes, que lo ponen en gruesas y rrudas palabras, diçiendo
tan manifiestas adulaçiones y parçialidades,
non sauiendose cubrir con el rrectorical velo;
que son menospreçiadas las Coronicas ordenadas por ellos, las quales ansi contentibles
ventura non alcanzan de escriuirse sinon en le-
tra tirada y las mas de las veçes por mano
de abecantios (?) que nunca en la casa entra-
ron de ortographia, en delgados papeles de po-
bres bestidos cubiertos, cuya fama non se es-
tiende fuera del territorio; bien parece que los
façedores dellas non fueron criados con leche
Rectorial ne mantenidos de la vianda poethi-
ca, nutritiua de los generosos entendimientos...» (f. 11).

*Don Enrique estaba preocupado, como lo esta-
ban los humanistas, con la fama. El propósito de
las crónicas había de ser el de* aseñalados estre-
mos fechos *quanto a la* perpetuaçion de la
fama... en escripto contar. *He aquí lo que a este
respecto tenía él que decir sobre las crónicas castellanas (continuación de la cita anterior):*

«... non digo por uituperar o defauorir ha los
que las tales escriuen coronicas, mas dolien-
dome que tan gloriosos fechos como de los
Reyes çercanos deste tiempo passados perez-
can abreuiada la duraçion de su nombradia
singular...» (f. 11).

En otra nota nos explica Enrique de Villena cómo la fama era un bien temporal deseable, y sólo podían conseguirla los que escribieran con ciencia. La insistencia en la dicción y el estilo poético dejaba en claro que bajo la denominación de corónicas no comprendía el autor exclusivamente las narraciones en prosa de sucesos históricos:

> «... poco vale a los grandes prínçipes y Reyes fazer aseñalados y estremos fechos quanto a la perpetuaçion de la fama, si non ayan lengua eseñada que los sepa decir y sçentificas y dulçes palabras en escripto contar» (f. 11).

Para él, el modelo de las coronicas no era otro que la Eneida de Virgilio, que superaba a la que hizo San Isidoro:

> «... la Eneyda que sancto Isidoro fizo non es tancta ementada como la de Virgilio; onde paresçe que las coronicas que non son en alto estillo y guarnesçidas de las aposturas poethicas son poco ementadas, porque los entendidos las tienen en poco, por cuyo alabamiento abía de durar...» (f. 11).

Invita, pues, a todos los que intentan escribir crónicas a leer su traducción de la Eneida, para escribir las propias con orden:

> «... los façedores de las coronicas, siquiera sean sçientes, siquiera romançistas, tomarán gran doctrina desta traslaçión eneydal y por lo en ella visto podrán mejorar y corregir sus mal ordenadas ystorias» (f. 17).

Con estas extensas citas de Enrique de Villena he tratado de dar a conocer una obra que yace en manuscrito, y presentar un telón de perspectiva sobre el que proyectar y poder apreciar mejor el capítulo introductorio de *Pérez de Guzmán* a sus Generaciones y semblanzas. *Comienza así este tratado:*

> Muchas vezes acaesce que las coronicas e estorias que fablan de los poderosos reyes e notables prinçipes e grandes cibdades, son auidas por sospechosas e inçiertas e les es dada poca fe e abtoridat. [43]

A los autores de semejantes coronicas e estorias *los caracterizaba el escritor como* onbres de poca vergueña. *Incluso menciona a uno de ellos, a quien fustiga duramente:*

> «... un liuiano e presuntuoso onbre, llamado Pedro de Coral, en una que se llamo Coronica Serrazina (otros la llamauan del rey Rodrigo), que mas propiamente se puede llamar trufa o mentira paladina» (pp. 3-4).

La Corónica Sarracina *es lo que puede llamarse en el pleno sentido de la palabra romance medieval. Pérez de Guzmán dictó tres normas para la composición de las buenas crónicas —para las* estorias se fazer bien e derechamente—, *es la primera la que propiamente viene a nuestro propósito:*

> «... la primera, que el historiador sea discreto e sabio, e aya buena retorica para poner la estoria en fermoso e alto estilo; porque la buena forma onra e guarnesçe la materia» (p. 5).

Todo buen escritor, insistía más adelante, debe estar dotado de dos cualidades indispensables: sa-

---

[43] Pérez de Guzmán, *Generaciones y semblanzas;* en cada cita se da la página tras el texto.

ber para ordenar e conçiençia para guardar la verdad. *También Pérez de Guzmán estaba interesado en la fama:*

> E asi, porque estas reglas non se guardan, son las coronicas sospechosas e caresçen de la verdad, lo cual no es pequeño daño: ca, pues la buena fama, cuanto al mundo, es el verdadero premio e gualardón de los que bien e vertuosamente por ella trabajan, si esta fama se escriue corrupta o mintirosa, en vano e por demás trabajan los manificos reyes o prinçipes en fazer guerras e conquistas, e en ser justiçieros e liberales e clementes, que por ventura los faze mas notables e dignos de fama e gloria que las victorias de las batallas e conquistas (pp. 6-7).

En los citados textos de Villena y Pérez de Guzmán domina la preocupación por el orden *en la composición. Ahora bien, si tal orden era demandado de los escritos en prosa, no hemos de maravillarnos que el Marqués de Santillana, que trataba principalmente de la poesía, nos hablara con insistencia del* orden, regla, cuento, peso, medida, modo, arte, metro, compás, *etc., que el poeta debiera guardar.*

CONCEPTO DE ROMANCE EN EL SIGLO XV

Cuando don Ramón Menéndez Pidal trató de encontrarle al Romancero hispánico hondas raíces en la tradición, afirmó del término romance: en el transcurso del siglo XV vamos viendo la palabra especializada en el sentido en que hoy lo está. *Luego, concretando más, añadía que* esa particularidad de significado debemos reconocer en la tan recordada frase del Marqués de Santillana relativa a los *romances e cantares* [44]. *Este aserto estaba lejos de la verdad; queriendo con él don Ramón dar antigüedad al concepto de romance, cayó en grueso anacronismo. En el siglo XV, ya lo he dicho, se confundían los conceptos de romance y crónica. En 1429, en una copia de una crónica del Cid, se decía en el encabezamiento y conclusión, respectivamente:*

Aquí comienza el *romanz* del Cid Campeador...
Acabado es este *romanz* del noble Cid Campeador[45].

Es don Enrique de Villena el que mejor nos aclara el concepto que la Primera Generación de humanistas españoles tenía de romance, *con particular referencia al que tanto este escritor como Juan de Mena denominaban* romançe de Atalante. *Dice así un pasaje de la versión de la* Eneida, *al concluir el convite con que la reina Dido había obsequiado a Eneas y los suyos* (Eneida *I.740 ss*):

> Luego começo a tanner, feneçica la bendicion, la viuela dorada de fermosos lauores el de luengos y annjllados cauellos ayopas; e dixo aquel *Romançe* que fiço el gran atalante, Rey que fue de libia, en do cantaua el curso erratico de la luna y aquel moujmjento del solar curso annal, e donde ujno el linagge de los ombres e de las bestias, e donde el frio e calura, siquier las luuias e los fuegos e los secretos del polo e de las estrellas pliadas e yadas e danbos triones; e por que se fazian los dias breues e grandes, e la diuersidat de

[44] Menéndez Pidal, *Romancero hispánico*, I, p. 5.
[45] Biblioteca Nacional, MS 139 del *Catalogue des manuscrits espagnols*, por A. Morel-Fatio, cit. por Menéndez Pidal en *Romancero hispánico*, I, p. 5 y nota.

las noches. E cacabado el canto gritaron dos
veses por alegria los tyrianos, e siguyeron les
los troyanos fazjendo aquello mesmo [46].

*En la glosa al pasaje explica Villena a sus con-
temporáneos algunos de los términos, para que
pudieran comprenderlos debidamente de acuerdo
con los conocimientos y experiencias propias:*

«... después de la bendiçion memorada en el capitulo precedente, começo a tañer el juglar
Ayopas la bihuela d'arco, que era ynstrumen-
to con que entonçes estaua y usauan cantar, y
se conuenia mejor con los modos del canto
dese tiempo (y por eso diçe el texto fenesçida
la bendiçion); la qual era bien labrada de lauo-
res sotiles, y por eso dice dorada, casi tan
delgadas cosas de oro plaçibles a la uista, y por
eso diçe fermosas: e dende descriue la disposi-
çion deste juglar, diçiendo que tenia luengos
cauellos y anillados, es a sauer, encrespados y
boluidos en çercos como ouillos, segund oy
traen los alemanes y polacos. E declara el
cantar que dijo que hera aquell *romançe* que
Atalante fizo, porque los *romances* venian bien
en aquellas bihuelas, y dician en ellos aquellas
gestas de los antiguos, por dar refecçion al
entendimiento despues del comer corporal ...
y por la señoria que touo [Atlas] en quellas
partes quedo la memoria de sus deçires y espeçialmente aquel *romançe* que ordenó asonado para cantar, contando en el los fechos
astrologicos, porque fuese aquel sauer mas di-
vulgado y perpetuado, y la niebla de la olui-
dança tan ayna non le cubriesse, e por eso
diçe en el texto, adelante declarando de que
fabla aquel *romançe*, que contaua el curso
erratico de la luna; diçe erratico porque no es
vniforme, que algunas veçes anda mas veloce
que otra por ser diferente por las diuersidades
de su epiçiculo, que la façe veloçe e tarda en

[46] Santiago Lacuesta, *o.c.*, p. 70.

65

su movimiento; e donde recuerda del solar curso, y del prinçipio de los ombres y animales, y de las impresiones de los elementos; onde pareçe que en aquel cantar auie conclusiones philosophicas naturales, por la mayor parte era d'astrologia...»

Tras decir que el romance de muchas fuese coplas compuesto, *añade:*

«... cumplido aquel *romançe* y çesado el tañer de Ayopas, el juglar susodicho, los troyanos y tyrianos los gritaron dos veces disiendo i./ o./ o., segun fasen oy en la fin de las galas e danças alegres, e doblaronlo mostrando abundançia de alegria, aprobando el festival convite e abundando tanto el plaser interior, que de fuera por grito clamoso, diferente de las costumbradas voces, e con alegre e agudo sonido sentido fuesse ... el canto del juglar Ayopas duro por una hora» (ff. 48v-50).

El documento encierra un gran interés desde el punto de vista cultural y folklórico. Podremos concluir, pues, que allá por los años 1427-28, fecha de la traducción de Villena, un romance era una composición extensa en verso, que interpretaba un juglar acompañándose con su instrumento musical en presencia de una gran audiencia con el fin de entretener. Un elemento de interés es que el romance de Atalante *no iba destinado a la gente de servil condición, sino al pueblo presidido por la reina Dido y Eneas, del linaje de los dioses; se trataba de un romance que* ordenó asonado para cantar.

Para Juan de Mena el romance de Atalante *era digno del gran magnate de su tiempo, poeta y escrupuloso estilista, el propio Marqués de Santillana. En la visión alegórica de la* Coronación, *dedicada a este último, las Virtudes Cardinales reemplazan al juglar Ayopas en el canto de triunfo:*

> Las quales cantando en ante
> El *romançe* de Athalante,
> Circundaron su persona,
> E le dieron la corona. (c. 46).

LA CONDENA DE LOS ESCRITORES INFIMOS

Tras habernos definido qué cosa era la poesía, se propuso el Marqués la tarea de clasificar los grados de estilo, que hace siguiendo la acostumbrada división tripartita:

> «... tres grados, es a saber: sublime, mediocre e infimo. Sublime se podría dezir por aquellos que las sus obras escrivieron en lengua griega e latina, digo metrificando. Mediocre usaron aquellos que en vulgar escriuieron, asy commo Guido Janunçello, boloñes, e Arnaldo Daniel, proençal. ... Infimos son aquellos que syn ningund orden, regla nin cuento fazen estos romançes e cantares de que las gentes de baxa e servil condiçion se alegran» *(CP* 9).

La clasificación tripartita de los géneros o grados del estilo contaba con hondas raíces y un desarrollo muy curioso en sus aplicaciones medievales. La aplicación que hace el Marqués de Santillana es, si se quiere, un tanto simplista para nuestra sensibilidad moderna, aunque no lo es tanto, si se tiene en cuenta que constituyó el primer intento de crítica, comparación y diferenciación, con valoración, bajo el criterio de gusto literario. Desde el punto de vista escolástico, es una clasificación muy práctica, y obedecía a la costumbre de ejercitar a los alumnos en el análisis y clasificación por géneros, especies, familias, individuos... En materias tan vagas y complejas como los géneros literarios, la división tripartita era una fórmula de compromiso entre la unidad aglomerada y la multiplicidad sin límites. La división tripartita solía estructurarse sobre las bases de los dos elementos más dispares, en nuestro caso, el sublime (genus grande) y el ínfimo (genus humile). Lo que no encajaba en ninguno de estos dos extremos, se clasificaba como medio (genus medium=mediocre).

Téngase en cuenta que Iñigo López de Mendoza trataba de calificar la poesía de los contemporáneos, creyendo sublime *la que éstos escribían en griego o latín.* Quien tanto tenía que porfiar con la lengua latina *de los poetas, según le confesaba a su hijo, no podía menos de admirar a los que sabían escribir en metros latinos. En el mismo* Prohemio e carta *mencionaría a algunos de ellos, como Petrarca, que* en el Castil Nouo de Nápol... se dize auer fecho muchas de sus obras asy latinas commo vulgares (PC 7), *y el Rey Sabio, de* quien se dize que metrificaua altamente en lengua latina *(PC 17)* [47]. *En el grado* mediocre *habían de incluirse desde los inventores del soneto en Provenza y Boloña, hasta su más reciente imitador en España, el propio Marqués.*

Al referirse al grado ínfimo, *el escritor se volvía duro y personal, pues más que al género ataca a los escritores mismos. Ahora bien, pensar que el*

---

[47] A este propósito conviene recordar lo que decía Burckhardt de los humanistas italianos, aquellos para los que *el latín era la única lengua digna de escribirse. Poggio lamentaría que el Dante escribiera su gran poema en italiano. La verdad es, como es bien sabido, que Dante intentó y llegó a escribir el comienzo del* Inferno, *primitivamente, en hexámetros ... e incluso Petrarca ponía más fe en su poesía latina que en sus sonetos y* canzoni; *y a Ariosto le pidieron algunos que escribiera su poema en latín (The Civilization of the Renaissance in Italy, p. 128).*

Marqués, en cuya coronación habían entonado las Virtudes Cardinales el romance *de Atalante, fustigara indiscriminadamente a todos aquellos que escribían romances, sería interpretar el texto y la mentalidad del crítico erróneamente. El se refiere solamente a* aquellos que syn ningund orden, regla nin cuento fazen estos romançes e cantares de que las gentes de baxa e servil condiçion se alegran. *Está claro que los demostrativos* aquellos *y* estos, *seguidos por los relativos* que *y de* que, *delimitan y reducen la extensión del sujeto. Si se quiere interpretar el texto como condena de un género literario, dígase que en él se proscriben aquellos romances y cantares que, hechos sin ningún orden, regla ni cuento, servían tan sólo para el regocijo del populacho bajo y servil* [48]. *Nos consta que había romances y cantares que el escritor tenía en cierta estima, como el* Roman de la Rose, *cuyos escritores eran tenidos por* doctos e señalados (PC 11); *no tuvo reproches para el* Libro del Arcipreste de Hita, *que era un romance propiamente dicho, ni para los cantares de su abuelo,* Pero González de Mendoza (PC 14 y 16).

En honor a Iñigo López de Mendoza tratemos de valorar estas condenas de romançes e cantares *sobre las bases de su definición de poesía, y veremos cuán consecuente se nos muestra el crítico:*

POESÍA	cosas útiles... compuestas distinguidas escandidas por cuento por peso por medida
ROMANCES CANTARES	cosas jocosas... sin cuento sin orden sin regla.

---

[48] Ya se había quejado Horacio que fuera la fábula sin belleza alguna, sin peso ni arte, la que más divertía al pueblo: *fabula nullius veneris, sine pondere et arte / Valdius obletat populum* (Ars 320).

En las líneas finales del Prohemio e carta *el autor resumía sus enseñanzas y legado poético al joven Condestable, y le exhortaba a que no cesara en el ejercicio de* la inquisiçion de los fermosos poemas commo en la polida horden e regla de aquellos. *Estaba obsesionada la Primera Generación de humanistas castellanos con la idea y práctica del orden, la regla, el cuento, el arte de la composición literaria.*

NUESTROS HUMANISTAS COMO PRECURSORES

La Primera Generación literaria española gozaba de una clara conciencia de su misión de purificación y perfeccionamiento de las letras patrias. Un estudio comparado con las actitudes de aspiración y fobias con otros humanistas europeos contemporáneos nos revela una sorprendente comunión de sentimientos: la aspiración común de imitación de los clásicos, y la fobia común hacia la macilenta literatura que servía de entretenimiento al populacho inculto. Hicieron los humanistas lema de la feliz frase horaciana: Odi profanum volgus et arceo, *que en* Bías contra Fortuna *parece haber recogido el Marqués de Santillana:* Fuy los ayuntamientos / De las gentes que non saben *(B 140). A su concepto aristocrático de la poesía, propia de* animos gentiles, claros ingenios e levados spíritus, *repugnaba la destinada a las* gentes de baxa e servil condiçion.

Espigando aquí y allá entre los tratadistas del Renacimiento europeo, se encuentran unos juicios muy curiosos, que de haber conocido dichos tratadistas los escritos de nuestros autores del siglo XV, los hubieran citado como precursores.

En Italia, *según nos informa J. Burckhardt en su gran trabajo sobre el Renacimiento italiano,* El orgullo máximo de los humanistas era su poesía moderna en latín... Razón de ello era su devoción a la antigüedad. *Los comentarios del mismo investigador del Renacimiento sobre la estima del soneto pueden servirnos para apreciar la valoración del Marqués sobre los romances y los cantares:* con el paso del tiempo... los madrigales, la sextina e, incluso, las *Canzoni* fueron relegados a un lugar de subordinación *al soneto* [49].

También en Italia, y más de cien años después del Marqués de Santillana, Antonio Minturno, en su Arte poetica *(1563), habló con desdén contra Ariosto, quien, en lugar de haber escrito un poema digno, lo escribió de una manera desordenada,* una gran massa di persone e di cose, *a imitación de los* bábaros *franceses y españoles. Reconocía Minturno la gran popularidad de los* romanzi —*Ariosto escribió el suyo* per piacere á molti *(p. 29)—, lo que atizaba el fuego de su desprecio, pues su popularidad se circunscribía a la gente vulgar e ignorante:*

> E il vero: ma da cui? e con qual giudicio? Certo de gli huomini volgari, che non sanno che cosa è la Poesia: nè conoscono in che consiste l'eccellentia del Poeta (p. 26).

Nótese lo que, en contraste, dice Minturno del soneto, acto seguido:

> Io per me più stimo un sonetto del Petrarca, che tutti i Romanzi, onde convien che'l volgo agogni.

---

[49] *O.c.*, pp. 130 y 159.

*En la Edad Media no había habido en Italia
una producción de romances digna de considera-
ción, comparada con la de Francia o España. Las
controversias de Minturno y otros humanistas se
centraban sobre las obras de Ariosto y Tasso, en
cuanto que eran tenidas como imitaciones italianas de los romances medievales. Los acusadores
hubieran preferido que los dos escritores se hubieran dedicado a la imitación de los clásicos. Minturno menospreciaba el* Orlando furioso *de
Ariosto por su falta de orden y unidad; Camillo
Pellegrino, en* Il Carrafa, o vero della epica poesia *(1584), negaba a Bernardo Tasso el título de
poeta épico sobre bases parecidas:* historia del
tutto vana, e ... tante digressioni lontane in
tutto dalla attione, ... attioni diverse, e di piu
persone *(p. 128)*[50].

En Francia, *riquísima productora y exporta-
dora de romances medievales, los humanistas
reaccionarían contra los géneros tradicionales con
no menor animosidad que en otros países. Rabe-
lais, de acuerdo con V. Hall,* repudia los viejos
romances como productos de una edad ignorante y bárbara *(p. 131)*[51]. *Montaigne parecía
confesar con orgullo que conocía no más que algunos títulos de los más famosos romances; él,
que había leído a Ovidio a la edad de ocho años*[52].

*El más elocuente de los despreciadores de los
romances medievales fue J. Du Bellay en su* La
Défense et illustration de la langue françoyse
*(1549); amonestaba allí a los jóvenes poetas que
aspiraran a una noble gloria, que se alejaran de las
masas de los ignorantes:*

---

[50] Para las disputas de los italianos, cf. B. Weinberg, *A History of
Literary Criticism in the Italian Renaissance,* II, pp. 954-1073.
[51] V. Hall, *Renaissance Literary Criticism. A Study of Its Social Content,* p. 131.
[52] *Les essais de Michel de Montaigne* [Liv. I, Chap. XXVI], I, pp. 225-6.

> Seulement veux-je admonester celuy qui as-
> pire à une gloire non vulgaire, s'elogner de ces
> ineptes admirateurs, fuir ce people ignorant,
> people ennemy de tout rare scavoir (Lib. II,
> cap. XI; p. 109).

Les aconsejaba, en cambio, imitar a los clásicos griegos y romanos, así como a los buenos
escritores italianos y españoles. Con insistencia les
decía que se apartaran de los géneros franceses
tradicionales:

> Ly doncques, et rely premierement, ò poëte
> futur, feuillette de main nocturne et journelle
> les exemplaires grecs et latins, puis me laisse
> toutes vieilles poësies françoises aux jeux Flo-
> raux de Toulouse et au Puy de Rouen: comme
> rondeaux, ballades, virelais, chants royaux,
> chansons et autres telles espiceries, qui
> corrompent le goust de nostre langue et ne
> servent sinon à porter testimoigne de notre
> ignorance (II, iv; p. 85).

Por otro lado no escatimaba el preceptista
francés sus alabanzas para el soneto, que comparaba a la oda en su aptitud para temas líricos:

> Sonne-moy ce beauz sonnets, non moins
> docte que plaisante invention italienne, con-
> forme de nom a la ode (II, iv; p. 86).

El mismo preceptista destacaría como objetos
de su desprecio las chansons populaires, farces y
moralités con no menos vehemencia que el preceptista castellano había repudiado los cantares
de las gentes serviles.

En Inglaterra, fuente de inspiración de tantas
leyendas de romances, los ataques de los humanistas contra éstos no cedían en ardor a los de otras
partes de Europa. Thomas Nash, afirma Gregory

Smith, nunca se mostraba más airado que cuando hablaba de los romances medievales, los que consideraba that forgotten legendary licence of lying [53].

Y George Puttenham (m. 1590) condenaba los romances por servir éstos de recreación a la clase común y baja:

> «... old Romances or historicall rimes, made purposely for recreation of the common people at Chrismass diners et brideales, and in tauernes and alehouses, and such other places of base resort» [54].

Volviendo a España, un siglo más tarde, en el XVI, encontraríamos una condena extremadamente dura contra los romances medievales a cargo del humanista y moralista Luis Vives. En De institutione feminae chistianae *amonesta a la mujer cristiana que evite la lectura de vulgares* libros de bellis et amoribus; *su criterio era exclusivamente de carácter moral —criterio que se incluía en la condena del Marqués—, cuando pedía a las autoridades que prohibieran las lascivas* cantiunculas *y* pestiferos libros, *cuyos autores consideraba* homines otiosi, male feriati, imperiti, vitiis ac spurcitiae dediti. *Y luego nos da una lista detallada de títulos:*

> «In Hispania Amadisus, Splandianus, Florisandus, Tirantus, Tristanus... Coelestina laena... in Gallia Lancilotus a lacu, Paris e Vienna, Ponthus et Sydonia... in has Belgica Florius, et Albus flos, Leonella, et Cana morus...» [55].

---

[53] Gregory Smith, *Elizabethan Critical Essays;* entre otras cosas, dice en la introducción, censuraban los escritores los romances porque no tenían *decency in proportions, no coherence of episodes* (I, p. XXVI).

[54] Gregory Smith, *o.c.,* II, p. 87; más sobre la actitud de los humanistas ingleses hacia los romances en V. Hall, *o.c.,* pp. 203 y ss.

[55] En *Opera omnia,* IV, 85 y ss.; la lista incluye otros títulos.

¿Era esa falta de orden, regla y cuento, predicada de los romances medievales, un capricho, una acusación sin fundamento de un grupo de escritores reaccionarios? En nuestro siglo XX, un estudioso del arte de los siglos medievales, ha formulado la siguiente evaluación:

> A la vérité la composition n'a pas été le souci dominant des écrivains du moyen âge. Beaucoup de romans, et des plus réputés, manquent totalement d'unité et de proportions. On se l'explique si l'on considère qu'ils n'ont pas été faits, en général, por soutenir l'examen d'un public qui lisait et pouvait commodément juger de l'ensemble, mais pour être entendus par des auditeurs auxquels on les lisait épisode par épisode[56].

Y más cerca de casa, sin pensar en su predecesor Santillana, el también poeta y crítico Dámamaso Alonso decía de las obras de los Arcipreste de Hita y de Talavera (recuérdese que El libro de Buen Amor *era un* romance):

> Son las obras de nuestros dos Arciprestes libros bien curiosos: por una parte, sumamente toscos, desordenados, de una inmadurez verdaderamente medieval, con una falta evidente de sentido de la medida...[57].

No es que diga yo que el Marqués de Santillana repudiara por completo el libro del Arcipreste de Hita, que expresamente menciona (CP 14) sin juicio peyorativo. Pero hacia ese tipo de literatura iban sus tiros, particularmente contra tantas composiciones vulgares que no habrán llegado hasta nosotros. Sobre todo, creo yo, más que la preocupación de señalar las obras o géneros concretos

---

[56] *Les arts poétiques du XIᵉ et XIIIᵉ siècles*, pp. 59-60.
[57] D. Alonso, *De los siglos oscuros al de Oro*, p. 126.

que *Santillana fustigaba, hemos de juzgar su clasificación de los estilos como un manifiesto de sensibilidad, de doctrina y principios: excelencia del latín; preferencia por las formas del soneto; disgusto por la literatura castellana en la que no se valorara el orden, la proporción, la adecuada estructuración de partes; aquella en la que el autor se propusiera simplemente divertir al populacho ignorante; aquella que él mismo, en su madurez, trató de superar, huyendo de las* metaphoras vanas con dulçe loquela (Comedieta 3). *Su disgusto por tales* romances e cantares *implicaba un llamamiento al orden, a la proporción, a la* nueva manera, *de temas útiles y elevados. El detestaba al vulgo, a la gente que no sabía; más a la que no quería aprender. No es posible que el Marqués de Santillana, esmerado pulidor de sus* Serranillas *y colector de* Refranes *populares, despreciara esas bellas composiciones que a partir del siglo XVI se vienen conociendo como* romances; *estos romances que hoy tanto admiramos y queremos, ni carecen de orden, ni de regla, ni de cuento, ni sirven para alegrar a la gente de baja condición.*

CRITERIO DE ESTA EDICION

EL IDEARIO

El fin principal de esta edición es el de contribuir de una manera positiva a comprender el ideario poético del Marqués de Santillana. Acabo de resumir los aspectos negativos, reaccionarios del escritor, que se quería alejar de unas modas existentes, en la búsqueda de otros modelos más altos: los clásicos y los que, en italiano, los habían imitado.

Entre los aspectos positivos de su ideario poético, ha de destacarse la proclamación de la utilidad de la poesía, de su valor educativo y civilizador, de su campo universal, de su poder consolatorio en las adversidades de la vida; ha de destacarse, consecuentemente, el elogio del poeta como ser de elección divina, de docto ingenio y gentil espíritu.

Por paradógico que suene, la admiración de la lengua latina iba inseparablemente unida en el ideario del Marqués de Santillana a su ilimitado entusiasmo por su vulgar castellano, que enriqueció y elevó a niveles de estilo y elocuencia no alcanzados con anterioridad, que estableció, de esta manera, como lengua literaria en la que ya podían adecuadamente expresarse, si no las formas, sí los conceptos de los grandes sabios de la antigüedad. Iñigo López de Mendoza se apartó de la frivolidad y lo cotidiano de la tradición inmediata anterior, tradición que él mismo había cultivado con enorme éxito en los años de su juventud.

Nuestro escritor logró dar en los años de madurez un paso gigantesco: a su talla de poeta, añadió las glorias de ser nuestro primer historiador y teoricista literario. A mediados del siglo XV hizo una advertencia y una llamada a la conciencia estética de sus compatriotas: para qualquier pratica mucho es neçesaria la theorica, e para la theorica la pratica (PP 3).

A la historia ha pasado el Marqués como el mejor poeta de serranillas, de un género tradicional cultivado y perfeccionado durante siglos. En esa tradición se situó en la cumbre Iñigo López de Mendoza. En la nueva manera, por el contrario, fue nuestro escritor el primero; sería muy injusto exigir de él que fuera a una misma vez raíz y fruto maduro del humanismo español.

Valiéndonos del símil que el Marqués de Santillana desarrolla en la Defunssión de don Enrique, contemplémosle como poeta errante en la selva literaria del cuatrocientos castellano; como sonámbulo que sin conciencia plena se echó a andar hacia una cima luminosa, cuyo resplandor creía él vislumbrar desde el valle, cuya consecución no estaría muy lejana. La senda literaria por donde él caminaba era escabrosa y solitaria; la espesura de sus obstáculos la volvía más trabajosa y más meritoria. Un numen misterioso le guiaba, y él trepó intrépido por el mundo vaporoso de teorías, recomido, como ningún otro de sus contemporáneos, *por un* zelo çeleste, una affection divina, un insaçiable çibo del ánimo (PC 2).

El Marqués de Santillana se nos muestra, de verdad, como un dios Jano de faz comprometida; en su personalidad literaria se dieron cita los grandes conflictos, no sólo políticos, sino también estéticos de su centuria de encrucijada; en él hicieron crisis. Otros han estudiado el perfil medievalista de este dios Jano español, su semblante otoñal, de frutos bien maduros; otros han estudiado las influencias de los contemporáneos o cuasi contemporáneos —italianos y franceses—. Aquí ha sido mi criterio presentar el perfil prerrenacentista de nuestro escritor, dando relieve a sus deseos de imitación de los clásicos y de ruptura con la tradición literaria vigente en Castilla. Sólo dentro de esa tradición merece la pena y tiene sentido el fenómeno del ideario poético del Marqués.

Cuando María Rosa Lida nos hablaba sobre el alcance de los gustos de Juan de Mena, como poeta del prerrenacimiento español, concedía que la falta de atracción por Horacio confirma negativamente su posición medieval [58]. *Retorciendo el argumento, concluiríamos que la atracción que el Marqués de Santillana sentía hacia el preceptista latino nos confirma positivamente su posición prerrenacentista. En fin, a este respecto el insigne crítico español Menéndez y Pelayo había acentuado que el renacimiento conocido como petrarquista no podía llamarse renacimiento horaciano en la Península, y que fue el Marqués de Santillana* el que inicia entre nosotros aquel movimiento [59].

---

[58] *Juan de Mena, poeta del prerrenacimiento español,* p. 256.
[59] *Horacio en España,* II, p. 11. Sobre los conocimientos que el Marqués tenía de Horacio afirmaba Amador de los Ríos: *El marqués conocía en su original, aunque en textos no depurados, las obras*

Iñigo López de Mendoza fue el que escribió el primer capítulo de historia y de teoría literaria, de aspiraciones humanísticas, en lengua castellana. Al hacerlo, abonó el suelo español para que en un futuro muy cercano pudiera florecer y dar fruto nuestro Siglo de Oro.

LOS TEXTOS

Junto al título de cada texto se deja consignada la fecha, más o menos cierta, en que fue escrito. También se indica la obra donde el texto, aquí seleccionado, fue establecido. Se han suprimido las notas a pie de página. En su lugar se hacen llamadas al lector con un asterisco (*) sobre los vocablos o conceptos que se explican en el Glosario que sigue a los textos. El asterisco se suprime en caso de los nombres propios, que en su gran mayoría reciben una breve explicación en el mismo Glosario. Es mi intención y esperanza que el lector encuentre en el Glosario un índice de términos y nombres propios con el lugar de su empleo en los Prohemios y cartas del Marqués de Santillana. En el mismo Glosario encontrará el lector llamadas a los títulos de la Bibliografía, donde un asunto determinado recibe un estudio más amplio.

---

de este gran poeta lírico (*Obras*, p. 617). Francis Ferrie, en su artículo sobre las «*Aspiraciones del humanismo español del siglo XV: Revaloración del* Prohemio e Carta *de Santillana*», me atribuye haber dicho que para mí el *Ars poetica* era la *unica preceptiva del Marqués* (p. 203, n. 3), con referencia a mi artículo «Otras huellas de Horacio en el Marqués de Santillana», p. 139. Evidentemente ni es eso lo que yo quería decir ni lo que digo; lo que digo es que el *Ars poetica* era la *única preceptiva* poética de los clásicos, y que el Marqués aludía a ella cuando aconsejaba al Condestable que no cejara en la *inquisición de los fermosos poemas, como en la polida orden e regla d'aquellos* (PC 21).

PROHEMIO E CARTA

(¿1446?)

(Texto establecido por A. R. Pastor y E. Prestage, *Letter of the Marquis of Santillana to Don Peter, Constable of Portugal.* Oxford, 1927).

AL ILLUSTRE SEÑOR DON PEDRO,
muy magnifico Condestable de Portugal, el
Marques de Santillana, Conde del Real, etc.,
salud, paz e devida recomendaçion.

[I] En estos dias passados Alvar Gonçales de
Alcantara, familiar e servidor de la casa del Señor Infante don Pedro, muy inclito Duque de
Coimbra, vuestro padre, de parte vuestra, Señor, me rogo que los deçires e cançiones mias
enviasse a la vuestra magnifiçencia. En verdad,
Señor, en otros fechos de mayor importançia,
aunque a mi mas trabajosos, quisiera yo complaçer a la vuestra nobleça; porque estas obras,
o a lo menos las mas dellas, non son de tales
materias, nin asy bien formadas e artiçadas* que
de memorable registro dignas parescan. Porque,
señor, asy como el Apostol* dice: *cum essem*
parvulus, cogitabam ut parvulus, loquebar ut par-
vulus. Ca estas tales cosas alegres e jocosas an-
dan e concurren con el tiempo de la nueva edad
de juventud; es a saber, con el vestir, con el jus-
tar, con el dançar, e con otros tales cortesanos
exerçiçios. E asy, Señor, muchas cosas plaçen
agora a Vos que ya non plaçen e non deven plaçer
a mi. Pero, muy virtuoso Señor, protestando que
la voluntad mia sea e fuesse non otra de la que

digo, porque la Vuestra sin impedimento aya lugar, e vuestro mandado se faga, de unas e otras partes e por los libros e cançioneros agenos, fiçe buscar e escrevir por orden, segunt que las yo fiçe, las que en este pequeño volumen vos envio.

[II]   Mas como quiera que de tanta insufiçiençia estas obretas mias que Vos, Señor, demandades, sean, o por ventura mas de quanto las yo estimo e reputo, vos quiero çertificar me plaçe mucho que todas cosas que entren o anden so esta regla de poetal canto vos plegan; de lo qual me façen çierto, asy vuestras graçiosas demandas, como algunas gentiles cosas de tales que yo he visto compuestas de la vuestra prudençia; como es çierto este sea un zelo çeleste, una affection* divina, un insaçiable çibo* del animo; el qual, asy como la materia busca la forma e lo imperfecto la perfecçion, nunca esta sçiencia de poesia e gaya* sçiençia* buscaron nin se fallaron, sinon en los animos gentiles, claros ingenios e elevados spiritus.

[III]   ¿E que cosa es la poesia* (que en nuestro vulgar *gaya sçiencia* llamamos), syno un fingimiento* de cosas utiles, cubiertas o veladas con muy fermosa cobertura*, compuestas, distinguidas e scandidas* por çierto cuento, peso e medida? E çiertamente, muy virtuoso Señor, yerran aquellos que pensar quieren o deçir que solamente las tales cosas consistan e tiendan a cosas vanas e lasçivas; que bien como los fructiferos huertos abundan e dan convenientes fructos para todos los tiempos del año, asy los hombres bien nasçidos e doctos, a quien estas sçiencias de arriba son infusas, usan d'aquellas

e de tal exerçiçio, segund las edades. E sy por
ventura las sçiencias son desseables, asy como
Tullio quiere, ¿qual de todas es mas prestante,
mas noble, e mas dina del hombre, o qual mas
extensa a todas espeçies de humanidad? Ca las
escuridades e çerramientos dellas ¿quien las a-
bre, quien las esclaresçe, quien las demuestra
e façe patentes syno la eloqüencia dulçe e fermosa fabla, sea metro, sea prosa?

[IV] Quanta mas sea la exçellençia e prerroga-
tiva de los rimos e metros que de la soluta*
prosa, syno solamente a aquellos que de las por-
fias injustas se cuydan adquirir soberbios honores, manifiesta cosa es. E asy façiendo la via de
los stoycos*, los quales con grand diligençia in-
quirieron el origine* e causas de las cosas, me
esfuerço a dezir el metro ser antes en tiempo e
de mayor perfecçion e de mas autoridat que la
soluta prosa. Isidoro Cartagines, sancto arçobispo
Ispalensi, asy lo aprueba e testifica; e quiere que
el primero que fiço rimos o canto en metro aya
seydo Moysen, ca en metro canto e prophetizo
la venida del Mexias, e despues del, Josue, en
loor del vençimiento de Gabaon. David canto en
metro la vitoria de los Philisteos e la restituyçion
del archa del Testamento, e todos los çinco libros
del Psalterio. E aun por tanto los hebraycos
osan afirmar que nosotros non asy bien como
ellos podemos sentir el gusto de la su dulçeza.
E Salomon metrificados fizo los sus *Proverbios*,
e ciertas cosas de Job son escriptas en rimo, en
especial las palabras de conorte* que sus amigos le respondian a sus vexaçiones.

[V] De los griegos quieren sean los primeros
Achatesio Millesio, e apres del, Pherecides Siro

e Homero, non obstante que Dante soberano poeta lo llama. De los latinos, Enio fue el primero, ya sea que Virgilio quieran que de la lengua latina en metro aya tenido e tenga la monarchia; e aun asy plaze a Dante alli donde dize, en nombre de Sordello Mantuano,

O gloria del latin solo per chui
Mostro cho que potea la lingua nostra!
O preçio eterno del locho ove io fui!

E asy concluyo ca esta sçiençia poetal es açepta principalmente a Dios, e despues a todo linage e espeçie de gentes. Afirmalo Cassiodoro en el libro de *Varias causas*, diziendo: *Todo resplandor de eloqüençia e todo modo o manera de poesia o poetal locuçion e fabla, toda variedat de honesto fablar hovo e hovieron començamiento de las divinas Escripturas. Esta en los deificos templos se canta, e en las cortes e palaçios imperiales e reales graçiosamente es resçebida. Las plaças, las lonjas, las fiestas, los convites opulentos sin ella asy como sordos en silençio se fallan.*

[VI] ¿E que son o quales aquellas cosas a donde, oso deçir, esta arte asy como nesçesaria non intervenga e no sirva? En metro las epithalamias* que son cantares, que en loor de los novios en las bodas se cantan son compuestos; e de unos en otros grados aun a los pastores en çierta manera sirven, e son aquellos dictados, a que los poetas bucolicos* llamaron. En otros tiempos, a las çenizas e defunçiones de los muertos, metros elegiacos* se cantavan, e aun agora en algunas partes dura, los quales son llamados endechas. En esta forma Jeremias canto la destruyçion de Hierusalem; Gayo Çesar, Octaviano Augusto,

Tiberio e Tito, Emperadores, maravillosamente metrificaron, e les plugo toda manera de metro.

[VII] Mas dexemos ya las estorias antiguas, por allegarnos mas açerca de los nuestros tiempos. El rey Roberto de Napol, claro e virtuoso prinçipe, tanto esta sçiençia* le plugo, que como en esta mesma sazon miçer Francisco Petrarca, poeta laureado*, floresçiesse, es cierto grand tiempo lo tuvo consigo en el Castil Novo de Napol, con quien el muy a menudo conferia e platicava destas artes; en tal manera que mucho fue avido por açepto a el e grand privado suyo; e alli se dize aver el fecho muchas de sus obras, asy latinas como vulgares*, e entre las otras el libro de *Rerum memorandarum,* e las sus eglogas, e muchos sonetos*, en espeçial aquel que fizo a la muerte deste mesmo rey, que comiença:

Rota e l'alta columpna e el verde lauro, etc.

[VIII] Johan Bocaçio, poeta exçellente e orador insigne, afirma el rey Johan de Chipre averse dado mas a los estudios desta graçiosa sçiençia que a ningunas otras; e asy paresçe que lo muestra en la entrada prohemial del su libro de la *Genealogia o linage de los Dioses Gentiles,* fablando con el Señor de Parma, mensajero o embaxador suyo.

[IX] Como, pues, o por qual manera, Señor muy virtuoso, estas sçiençias ayan primeramente venido en manos de los romançistas* o vulgares*, creo seria dificil inquisiçion e una trabajosa pesquisa. Pero dexadas agora las regiones, tierras e comarcas mas longincas* e mas separadas de nos, non es de dubdar, que universalmente en todas de siempre estas sçiençias se ayan acostumbrado e acostumbran, e aun en muchas dellas en estos tres grados, es a saber: sublime, mediocre, infimo. Sublime se podria dezir por aquellos que las sus obras escrivieron en lengua griega o latina, digo metrificando. Mediocre usaron aquellos que en vulgar escrivieron, asy como Guido Janunçello, boloñes, e Arnaldo Daniel, proençal*. E como quier que destos yo non he visto obra alguna; pero quieren algunos aver ellos sido los primeros que escribieron terçio rimo* e aun sonetos en romançe*. E asy como dize el philosopho, de los primeros, primera es la especulaçion. Infimos son aquellos que sin ningun orden, regla, nin cuento fazen estos romançes* e cantares de que las gentes de baxa e servil condiçion se alegran. Despues de Guido e Arnaldo Daniel, Dante escrivio en terçio rimo elegantemente las sus tres comedias: *Infierno, Purgatorio, Parayso;* Miçer Francisco Petrarca sus *Triunphos;* Checo Dascoli el libro *De proprietatibus rerum;* Johan Bocaçio el libro que *Ninfal* se intitula, aunque ayunto a el prosas de grande eloquençia; a la manera del *Boeçio consolatorio.* Estos e muchos otros escrivieron en otra forma de metros en lengua italica que sonetos e cançiones* morales se llaman.

[X] Estendieronse, creo, d'aquellas tierras e comarcas de los lemosines* estas artes a los gallicos e a esta postrimera e occidental parte, que es la nuestra España, donde assaz prudente e fermosamente se han usado. Los gallicos e françeses escrivieron en diversas maneras rimos e versos, que en el cuento de los pies e bordones discrepan; pero el peso e cuento de las cançiones morales, eguales son de las baladas*, aunque en algunas, asy de las unas como de las otras, hay algunos pies truncados que nosotros llamamos medios pies, e los lemosis, françeses e aun catalanes, bioques*.

[XI] De entre estos ovo hombres muy doctos e señalados en estas artes; ca Maestre Johan Lorris fizo el *Roman de la Rosa*, donde, como ellos dizen, el arte de amor es tota enclosa*, e acabolo Maestre Johan Copinete, natural de la villa de Mun. Michaute escrivio asy mismo un grand libro de baladas, cançiones, rondeles*, lays*, virolays*, e asono muchos dellos. Miçer Otho de Grandson, cavallero estrenuo e muy virtuoso, se ovo alta e dulçemente en esta arte. Maestre Alen Charrotier, muy claro poeta moderno, e secretario deste rey don Luis de Françia, en grand elegançia compuso e canto en metro, e escrivio el *Debate de las quatro damas;* la *Bella dama Sanmersi;* el *Revelle matin;* la *Grand pastora;* el *Breviario de nobles,* e el *Hospital de amores;* por çierto cosas assaz fermosas e plaçientes de oyr.

[XII] Los italicos prefiero yo, so emienda de quien mas sabra, a los françeses solamente ca las sus obras se muestran de ınas altos ingenios, e adornanlas e componenlas de fermosas e peregrinas estorias; e a los françeses de los italicos en el guardar del arte; de a lo qual los itálicos, syno solamente en el peso e consonar*, non se fazen mençion alguna. Ponen sones asy mesmo a las sus obras, e cantanlas por dulçes e diversas maneras; e tanto han familiar, açepta e por manos la musica, que paresçe que entre ellos ayan nasçido aquellos grandes philosophos, Orpheo, Pitagoras e Empedocles, los quales, asy como algunos descriven, non solamente las yras de los hombres, mas aun a las furias infernales con las sonoras melodias e dulçes modulaçiones de los sus cantos aplacavan. ¿E quién dubda que asy como las verdes fojas en el tiempo de la primavera guarnesçen e acompañan los desnudos arboles, las dulçes voçes e fermosos sones no apuesten* e acompañen todo rimo, todo metro, todo verso, sea de qualquier arte, peso e medida?

[XIII] Los catalanes, valençianos, e aun algunos del reyno de Aragon fueron e son grandes offiçiales desta arte. Escrivieron primeramente en novas rimadas, que son pies o bordones largos de sillabas, e algunos consonavan e otros non. Despues desto usaron el dezir en coplas de diez sillabas a la manera de los lemosis. Ovo entre ellos de señalados hombres, asy en las invençiones como en el metrificar. Guillen de Bergueda, generoso e noble cavallero, e Pao de Benbibre adquirieron entre estos grand fama. Mosen Pero March el viejo, valiente e honorable cavallero, fizo assaz gentiles cosas, e entre las otras escrivio proverbios de grand moralidad. En estos nuestros tiempos floresçio Mosen Jorde de Sanct Jorde, cavallero prudente, el qual çiertamente compuso assaz fermosas cosas, las quales el mesmo asonava*, ca fue musico exçellente, e fizo, entre otras, una cançion* de oppositos que comiença:

Tos ions aprench e desaprench ensems.

Fizo la *Passion de amor*, en la qual copilo muchas buenas cançiones antiguas, asy destos que ya dixe, como de otros. Mosen Febrer fizo obras notables, e algunos afirman aya traydo el Dante de lengua florentina* en catalan, non menguando punto en la orden del metrificar e consonar. Mosen Ausias March, el qual aun vive, es grand trobador, e hombre de assaz elevado spiritu.

[XIV] Entre nosotros usose primeramente el metro en assaz formas; asy como el *Libro de Alexandre, Los votos del Pavon,* e aun el *Libro del Arcipreste de Hita.* Aun desta guisa escrivio Pero Lopez de Ayala, el viejo, un libro que fizo de las maneras del Palacio, e llamaronlo *Rimos;* e despues fallaron esta arte que mayor se llama e el arte comun, creo, en los reynos de Galiçia e Portugal, donde non es de dubdar que el exerçiçio destas sçiençias mas que en ningunas otras regiones e provinçias de España se acostumbro, en tanto grado, que non ha mucho tiempo qualesquier dezidores e trovadores destas partes, agora fuessen castellanos, andaluçes o de la Estremadura, todas sus obras componian en lengua gallega o portuguesa. E aun destos es çierto resçebimos los nombres del arte, asy como maestria* mayor e menor, encadenados, lexapren* e mansobre*.

[XV] Acuerdome, Señor muy magnifico, seyendo yo en edad non provecta, mas assaz pequeño moço en poder de mi abuela doña Mençia de Çisneros, entre otros libros aver visto un grand volumen de cantigas *, serranas *, e dezires portugueses e gallegos, de los quales la mayor parte eran del Rey don Dionis de Portugal (creo, Señor, fue vuestro bisabuelo), cuyas obras aquellos que los leian, loàvan de invençiones sotiles, e de graçiosas e dulçes palabras. Avia otras de Johan Soarez de Paiva, el qual se dize aver muerto en Galiçia por amores de una Infanta de Portugal, e de otro Fernand Gonçales de Senabria. Despues destos vinieron Vasco Peres de Camoes e Fernand Casquiçio, e aquel grand enamorado Maçias, del qual no se fallan sinon quatro cançiones, pero çiertamente amorosas e de muy fermosas sentençias, conviene a saber:

I. Cativo de miña tristura;
II. Amor cruel e brioso;
III. Señora, en quien fiança;
IV. Provey de buscar mesura.

[XVI] En este reyno de Castilla dixo bien el Rey don Alfonso el Sabio, e yo vi quien vio dezires suyos, e aun se dize que metrificava altamente en lengua latina. Vinieron despues destos don Johan de la Çerda e Pero Gonçalez de Mendoça, mi abuelo: fizo buenas cançiones e entre otras:

Pero te sirvo sin arte...

e otra a las monjas de la Çaydia, quando el Rey don Pedro tenia el sitio contra Valençia; comiença:

A las riberas de un rio...

Uso una manera de deçir cantares, asi como scenicos* plautinos e terençianos, tambien en estrambotes como en serranas. Concurrio en estos tiempos un judio que se llamo Rabi Santo: escrivio muy buenas cosas, e entre las otras, *Proverbios morales*, en verdat de assaz commendables sentençias. Puselo en cuento de tan nobles gentes por grand trovador, que asy como el dize en uno de sus *Proverbios:*

> Non vale el açor menos
> Por nasçer en vil nio,
> Nin los examplos buenos
> Por los dezir judio.

Alfonso Gonçalez de Castro, natural desta villa de Guadalaiara, dixo assaz bien e fizo estas cançiones:

> I. Con tan alto poderio,
> II. Vedes que descortesia.

[XVII] Despues destos, en tiempo del rey don Johan, fue el Arçediano de Toro: este fizo:

> Crueldad e trocamento,

e otra cançion que dize:

> De quien cuydo e cuydę;

e otra que dize:

> A Deus, amor, a Deus, el rey.

E Garçi Fernandez de Gerena. Desde el tiempo del rey don Enrique, de gloriosa memoria, padre del rey, nuestro señor, e fasta estos nuestros tiempos, se començo a elevar mas esta sçiençia e con mayor elegançia, e ha avido hombres muy doctos en esta arte, e prinçipalmente Alfonso Alvarez de Ilyescas, grand dezidor, del qual se podria dezir aquello que en loor de Ovidio un grand estoriador describe, conviene a saber que todos sus motes e palabras eran metro. Fizo tantas cançiones e deçires, que seria bien largo e difuso nuestro proçesso, si por extenso, aun solamente los prinçipios dellas a recontar se oviessen. E asy por esto, como por ser tanto conosçidas e esparzidas a todas partes las sus obras, passaremos a Miçer Françisco Imperial, al qual yo non llamaria dezidor o trobador, mas poeta*, como sea çierto si alguno en estas partes del Occaso meresçio premio de aquella triunphal e laurea guirlanda *, loando a todos los otros, este fue. Fizo al nasçimiento del rey, nuestro señor, aquel dezir famoso:

En dos seteçientos.

e muy muchas otras cosas graçiosas e loables.

[XVIII]   Fernand Sanches Talavera, comendador de la orden de Calatrava, compuso assaz buenos dezires. Don Pero Velez de Guevara, mi tio, graçioso e noble cavallero, asy mesmo escrivio gentiles deçires e cançiones.
Fernand Perez de Guzman, mi tio, cavallero docto en toda buena doctrina, ha compuesto muchas cosas metrificadas, y entre las otras aquel epitafio* de la sepoltura de mi señor el Almirante, don Diego Furtado, que comiença:

Honbre que vienes aqui de presente.

Fizo muchos otros deçires e cantigas de amores, e agora bien poco tiempo ha escrivio proverbios de grandes sentençias, e otra obra assaz util e bien compuesta de la *Quatro Virtudes Cardinales*.

[XIX] Al muy magnifico duque don Fadrique, mi señor e mi hermano, plugo mucho esta sçiencia, e fizo assaz gentiles cançiones e dezires, e tenia en su casa grandes trobadores, espeçialmente a Fernand Rodriguez Portocarrero, e Johan de Gayoso e Alfonso de Moraña. Ferrand Manuel de Lando, honorable cavallero, escrivio muchas buenas cosas de poesia; imito mas que ninguno a Miçer Françisco Imperial: fizo de buenas cançiones en loor de

Nuestra Señora; fizo asy mismo algunas invectivas contra Alfonso Alvarez, de diversas materias e bien ordenadas.

[XX]   Los que despues dellos en estos nuestros tiempos han escripto, o escriven, cesso de los nombrar, porque de todos me tengo por dicho que vos, muy noble señor, ayades noticia e conosçimiento; e non vos maravilledes, Señor, si en este prohemio aya tan extensa e largamente enarrado estos tantos antiguos e despues nuestros auctores, e algunos dezires e cançiones dellos, como paresca aver proçedido de una manera de oçiosidat, lo qual de todo punto deniegan non menos ya la edad mia, que la turbaçion de los tiempos. Pero es asy que como en la nueva edad me pluguiessen, fallelos agora, quando me paresçio ser nesçessarios. Ca asy como Oraçio *, poeta, dize:

Quem nova concepit olla servabit odorem.

[XXI]   Pero de todos estos, muy magnifico Señor, asy italicos como proençales, lemosis, catalanes, castellanos, portugueses e gallegos, e aun de qualesquier otras nasçiones se adelantaron e antepusieron los gallicos* çesalpinos* e de la provinçia de Equitania en solepnizar e dar honor a estas artes. La forma e manera como, dexo agora de recontar, por quanto ya en el prologo de los mis *Proverbios* se ha mençionado. Por las quales cosas, e aun por otras muchas, que por mi, e mas por quien mas sopiesse, se podrian ampliar e dezir, podra sentir e conosçer la vuestra magnifiçençia en quanta reputaçion, estima e comendacion estas sciençias averse deven, e quanto vos, Señor muy virtuoso, devedes estimar que aquellas dueñas que en torno de la fuente de Elicon inçessantemente dançan, en tan nueva edad non inmeritamente a la su compañia vos ayan resçebido. Por tanto, Señor, quanto yo puedo, exhorto e amonesto a la vuestra magnifiçençia que, asy en la inquisiçion de los fermosos poemas*, como en la polida orden e regla d'aquellos, en tanto que Cloto filare la estambre, vuestro muy elevado sentido e pluma non çessen, por tal que quando Atropos cortare la tela, non menos delphicos* que marçiales* honores e glorias obtengades.

PROHEMIO A PROVERBIOS

(1437)

(Texto establecido por J. Amador de los Ríos, *Obras de Don Iñigo López de Mendoza, Marqués de Santillana*, pp. 21-28).

PROVERBIOS DE GLORIOSA DOTRINA E FRUCTUOSA ENSEÑANÇA

COMIENÇA EL PROLOGO

I. Serenissimo e bien aventurado Principe: Diçe el maestro d'aquellos que saben, en el su libro primero e capitulo de las Ethicas: *toda arte, dotrina e deliberacion es a fin de alguna cosa.* El qual texto pensse traher a la vuestra noble memoria, por mostrar e notificar a la Vuestra Alteça las pressentes moralidades e versos de dotrina, dirigidos o diferidos* a aquella; e que non sin cabsa hayan seydo, como algunas veçes por el muy ilustre, poderoso, manifico e muy virtuoso señor rey, don Johan segundo, padre vuestro, me fuese mandado los acabasse e de parte suya a la Vuestra Exçellencia los presentasse. E aun esto non es negado por ellos, como todavía su dotrina o castigos sea asy como fablando padre con fijo. E de averlo asy fecho Salomon, manifiesto paresçe en el su libro de los *Proverbios;* la entençion del qual me plogo seguir e quise que asy fuese, por quanto si los consejos o amonestamientos se deven comunicar a los proximos, mas e mas a los fijos; e asy mesmo por quel fijo antes deve resçebir el consejo del padre que de ningund otro.

II. E por quanto esta pequeñuela obra me cuydo contenga en si algunos provechosos metros acompañados de buenos enxemplos, de los quales yo non dubdo que la Vuestra Exçellençia e alto engenio non caresca; pero dubdando que por ventura algunos dellos vos fuessen ynnotos*, como sean escriptos en muchos diversos libros, e la terneça de la vuestra edat non aya dado tanto lugar al estudio d'aquellos, pensse de façer algunas breves glosas o comentos, señalandovos los dichos libros e aun capitulos. Porque asy como dixo Leonardo de Areçio en una *Epistola* suya al muy manifico ya dicho señor rey, en la qual le recuenta los muy altos e grandes fechos de los emperadores de Roma, naturales de la vuestra España, diçiendole gelos traia a memoria porque si a la Su Alteça eran conoscidos, lo queria complaçer, e si ynnotos, d'aquellos e por enxemplo dellos, a alteça de virtud e a desseo de muy grandes cosas, lo amonestassen.

III. Por ventura, illustre e bienaventurado Prinçipe, algunos podrian ser ante la Vuestra Exçellençia destos dichos versos, que pudiessen deçir o dixieren que solamente basta al prinçipe o al cavallero entender en governar o regir bien sus tierras, e quando al caso verna defenderlas; o por gloria suya conquerir o ganar otras; e ser las tales cosas superfluas e vanas. A los quales Salomon ha respondido en el libro antedicho de los *Proverbios*, donde diçe: *la sçiencia e la dotrina los locos la menospreciaron.* Pero a mas abondamiento* digo que ¿como puede regir a otro aquel que a si mesmo non

rige?... ¿Nin como se rigira, nin se governara
aquel que non sabe nin ha visto las governacio-
nes e regimientos de los bien regidos e gover-
nados?... Ca para qualquier pratica, mucho es
nesçesaria la theorica, e para la theorica la
pratica. E por çierto, de los tiempos aun non
cuydo yo que sea el peor despendido aquel en
que se buscan e inquieren las vidas e muertes
de los virtuosos varones; asy como, de los gentiles, los Catones e los Çipiones, e de los chris-
tianos, los godos e los doçe pares; de los hebreos, los Machabeos. E aun sy a Vuestra
Exçellençia plaçe que tanto non nos alongue-
mos de las vuestras regiones e tierras, ayamos
memoria del Çid Ruy Diaz e del conde Ferrand
Gonçalez; e de la vuestra clara progenie, el rey
Alfonso el Magno e el rey don Ferrando, el qual
gano toda la mayor parte de la vuestra
Andaluçia. Nin cale que olvidemos al rey de
gloriosa memoria don Enrique, vuestro terçero
abuelo, como las imagines d'aquellos o de los
tales, asy como diçe Seneca en una *Epistola*
suya a Lucilio, siempre deven ser ante vuestros
ojos. Ca çiertamente, bienaventurado Prinçipe,
asy como yo escrevia este otro dia a un amigo
mio: la sçiençia non embota el fierro de la
lança, nin façe floxa el espada en la mano del
cavallero. Nin sy queremos passar por la segunda decada de Tito Livio, fallaremos que
Anibal dexasse la passada de los Alpes que son
entre las Gallias e Savoya, nin la del Ruedano
que es el Ros, nin despues las çercas de Cappoa
e de Taranto e de Nola, nin el sitio de los
Palulares* de Roma (a donde se falla aver perdido el un ojo), por fuyr e apartarse de los
trabajos corporales, tampoco de las lluvias,
nieves e vientos: como Caton de follar las tra-

bajosas sirtes de Libia, que se llama Ethiopia o mar arenoso, por los grandes calores, encendidos e desmoderados fuegos, nin por el temor de los ponçoñosos aspides, nombrados sierpes pariaseas*, cerastas, nin todos los otros linages de ponçoñosas serpientes; lo qual todo contrastava e resistia la su espada invicta. Nin las roncas e soberbiosas ondas del mar ayrado, nin las prenosticaçiones* vistas, asy de la garça volar en alto, como de la corneja passearse presurosamente por el arena, nin despues de las señales que eran vistas en la luna, las quales todas eran amonestaçiones del pobreçillo barquero, impidieron la passada del Çesar e Antonio: nin al mesmo Çesar empacharon el passo las fuertes avenidas del rio Rubicon, nin fiço impedimento a Hipomedon la fondura del rio Esopo contra Thebas. Mas antes creeria, bienaventurado Prinçipe, que las tales cosas provoquen a todo ome a toda virtut, esfuerço e fortaleça e a judgar quel dolor non sea el soberano mal, nin el deleyte el mayor bien, asy como Tullio lo diçe en el prologo de su postrimero libro del tractado *De Offiçios*. Mas todas estas cosas creeria e determino ser asy como un estimulo o espuelas atrayentes e provocantes a los omes a toda virtut.

IV. Bienaventurado Prinçipe, podria ser que algunos, los quales por aventura se fallan mas prestos a las reprehensiones e a redarguir e emendar que a façer nin ordenar, dixiessen yo aver tomado todo, o la mayor parte destos *Proverbios* de las dotrinas e amonestamientos de otros, asy como de Platon, de Aristotiles, de Socrates, de Virgilio, de Ovidio, de Terençio e de otros philosophos e poetas. Lo qual yo no contradiria, antes me plaçe que asy se crea e sea entendido. Pero estos que dicho he, de otros lo tomaron, e los otros de otros, e los otros d'aquellos que por luenga vida e sotil inquisiçion alcançaron las experiençias e cabsas de las cosas. E asy mesmo podrian deçir aver en esta obra algunos consonantes e pies repetidos, asy como si pasassen por falta de poco conosçimiento o inadvertençia: los quales creeria non aver leydo las regulas* del trovar, escriptas e ordenadas por Remon Vidal de Besaduc, ome assaz entendido en las artes liberales e grand trovador; nin la continuaçion del trovar fecha por Jufre de Joxa, monge negro, nin del mallorquin, llamado Berenguel de Noya; nin creo que ayan visto las leyes del Conssistorio de la gaya doctrina que por luengos tiempos se tovo en el collegio de Tolosa, por abtoridad e permission del rey de França. Lo qual todo non constriñe nin apremia a ningund dictador o componedor que en rimico estilo depues de veynte coplas, dexe repetiçion de consonantes alli o en los lugares donde bien le veniere, e el caso o la raçon lo nescessitare, como ya lo tal pueda ser mas bien dicho libro o tractado que deçir nin cançion, balada, rondel, nin virolay, guardando el cuento de las sillabas e las ultimas e penultimas e en algunos logares las antepenultimas, los yerros de los dipthongos e las vocales en aquellos logares donde se pertenesçen.

V. Pues, bienaventurado Prinçipe, tornando al nuestro propossito, Çipion Africano, el qual ovo este nombre por quanto conquisto toda o la mayor parte de Africa, solia deçir, asy como Tullio lo testifica en el dicho libro *De Offiçios*, que nunca era menos oçioso que cuando estava oçioso, nin menos solo que quando estava solo: la qual

raçon demuestra que en el oçio penssava en los
negoçios, e en la soledat se informava de las cosas passadas; asy de las malas, para las aborres-
cer e fuyr dellas, como de las buenas, para se
aplicar a ellas e las façer a si familiares. Del Çesar
se falla que todas las cosas que en el dia passa-
va que de notar fuessen, las escrevia en la noche
metrificadas e en tan alto e elevado estillo
que, despues de su vida, apenas los muy enten-
didos las entendian. Pues David e Salomon, reyes
de Israel, quanta fue la su excellençia e sabiduria,
bien es notorio e non poco manifiesto. E asy,
deviniendo a los reyes pressentes, ¿cuál seria
tan alta sentençia de Claudiano, de Quintiliano, de Tullio, de Seneca, que esconderse podiesse
a los serenisimos prinçipes e de inmortal e
muy gloriosa fama el señor rey, padre vuestro,
la señora reyna, vuestra madre, el señor rey de
Aragon, vuestro tio?... En los quales mirando e
acatando asy como en claro espejo e diafano
veride*, en los convenientes tiempos la Vuestra
Exçellençia deve entender e darse a oyr e leer
las buenas dotrinas, los provechosos enxemplos
e utiles narraçiones. E en conclusion, bienaventurado Prinçipe, con quanta devoçion yo puedo,
suplico a Vuestra Exçellençia que las corrupçio-
nes o defetos de la pressente infima e pequeñuela obra, la qual asy como mandado d'aquel
que mandarme puede, es a saber, el señor rey
progenitor vuestro, e como subdito, siervo e
fiel vasallo suyo, de parte daquel vos pressento,
quiera tollerar; e si algo yo fallesco, de lo qual
non dubdo, lo quiera soplir o comportar. Cuya
manifica persona e real Estado en uno con los
bienaventurados prinçipes e señores, el señor
Rey, padre vuestro, e la señora Reyna, vuestra
madre, la Sancta Trenidad por luengos tiem-

pos, prosperos e bienaventurados dexe vivir e prinçipar, e despues de la luenga e gloriosa vida suya, reynar e imperar, asy como el amor paternal d'aquellos lo dessea e la Vuestra Manifiçençia lo meresçe. Amen.

CARTA A DOÑA VIOLANTE DE PRADES O PROHEMIO A LA COMEDIETA DE PONZA

(1444)

(Texto establecido por M. P. A. A. Kerkhof, *La Comedieta de Ponza*, edición crítica, introducción y notas. Croningen, 1976).

A LA MUY NOBLE SEÑORA DOÑA VIOLANTE

de Prades, Condesa de Modica e de Cabrera,
Yñigo Lopez de Mendoça, señor de la Vega.

[I] Avida ynformaçion, notiçia e conosçimiento de la vuestra mucha vyrtud, non poco presto a vuestro mandamiento. Ca, commo dize Agustino, muchas vezes amamos lo que non veemos; mas lo que non conosçemos, non lo podemos amar asy bien. E tanto commo yo puedo me rrecomiendo a la vuestra nobleza. Muy noble Señora, Palomar, seruidor de la casa del Conde e Vuestra, me ha dicho que algunas obras mias vos han plazido; e tanto me çertifico que vos plazen que ayna me fares creer que son buenas, ca la vuestra muy grande discreçion non es de creer que se pague de cosa non buena.

[II] Muy noble Señora, quando aquella batalla naval acaesçio cerca de Gayeta la qual fue asy grande que despues qu'el rrey Xerçes fizo la puente de naues en el mar Oçeano, por ventura tantas e tan grandes fustas non se juntaron sobre el agua, yo començe vna obra a la qual llamé *Comedieta de Ponça*. E titulela d'este nonbre por quanto los poetas fallaron tres maneras

de nonbres a aquellas cosas de que fablaron, es
a saber: tragedia*, satira* e comedia*. Tragedia
es aquella que contiene en sy caydas de grandes rreys e principes asy commo de Ercoles,
Priamo e Agamenon e otros tales, cuyos nasçi-
mientos e vidas alegremente se començaron
e grande tienpo se continuaron e despues tris-
temente cayeron. E de fablar d'estos vso Seneca
el mançebo, sobrino del otro Seneca en las
sus tragedias, e Iohan Bocaçio en el libro *De
casibus virorum yllustrium.*

Satira es aquella manera de fablar que touo vn
poeta que se llamo Satiro, el qual rreprehendio
muy mucho los viçios e loo las vyrtudes; e d'esta
despues d'el vso Oraçio, e aun por esto dixo
Dante:

... *el altro e Oracio satiro qui vene etc.*

Comedia es dicha aquella cuyos comienços son
trabajosos e tristes, e despues el medio e fin de
sus dias alegre, gozoso e bien aventurado; e
d'esta vso Terençio Peno, e Dante en el su libro
donde primeramente dize aver visto las dolores
e penas ynfernales, e despues el purgatorio, e
alegre e bien aventuradamente despues el parayso.

[III] La qual *Comedieta*, muy noble Señora, yo
continue fasta que la traxe en fin. E certifico-
vos, a fe de cauallero, que fasta oy jamas ha
salido de mis manos, non enbargante que por
los mayores señores, e despues por otros muchos, grandes omes, mis amigos d'este reyno,
me sea estada demandada.

Enbiovosla, Señora, con Palomar, e asy mesmo
los çiento *Proueruios* mios e algunos otros *Sone-*

tos que agora nueuamente he començado a [fazer] al italico modo. E esta arte fallo primero en Ytalia Guido Cavalgante, e despues vsaron d'ella [Checo d'Ascholi] e Dante, e mucho mas que todos Françisco Petrarca, poeta laureado*. E sy algunas otras cosas, muy noble Señora, vos plazen que yo por honor vuestro e de la casa vuestra faga, con ynfallible fiuza* vos pido por merçed asy commo a menor hermano, me escriuades.

Cuya muy magnifica persona e grande estado nuestro Señor aya todos dias en su santa protecçion e guarda.

DE GUADALAJARA, *a quatro de mayo, año de quarenta e tres.*

PROHEMIO A BIAS CONTRA FORTUNA

(después de 1448)

(Texto establecido por J. Amador de los Ríos, *Obras de Don Iñigo López de Mendoza, Marqués de Santillana*, pp. 145-154.)

PROHEMIO DEL MARQUES
AL
CONDE DE ALVA

I. Quando yo demando a los Ferreras, tus
criados e mios, e aun a muchos otros, Señor e
mas que hermano mio, de tu salut de qual agora es la tu vida, e ques lo que façes e diçes;
e me responden e çertifican con quanto esfuerço, con quanta paçiençia, con quanto despreçio
e buena cara tu padesçes, consientes e sufres tu
detençion, e todas las otras congoxas, mo-
lestias e vexaçiones que el mundo ha traydo; e
con quanta liberalidat e franqueça partes e
destribuyes aquellas cosas, que a tus sueltas
manos vienen; reffiriendo a Dios muchas
graçias, me recuerda d'aquello que Homero
escribe en la *Ulixea;* conviene a saber, que
como por naufragio o fortuna* de mar, Ulixes,
rey de los çefalenos*, desbaratado viniesse en
las riberas del mar, e desnudo e maltractado,
fuesse traydo ante la reyna d'aquella tierra, e
de los grandes del reyno, que con ella estavan
en un festival e grand convite; e como aquella
le viesse e acatasse, despues todos los otros
con grande reverençia tanto le estimaron,

115

que dexada la çena todos estavan contemplando en el. Asy que, apenas era alli alguno que mas deseasse cosa que pudiesse alcançar de los dioses que ser Ulixes en aquel estado. Adonde a grandes voçes, e muchas veçes, este soberano poeta clama, diçiendo: ¡O omes! avet en grand cura la virtut, la qual con el naufragio nada, e al que esta desnudo e desechado en los marinos litos* ha mostrado con tanta auctoridad e asy venerable a las gentes. La virtut, asy como el Philosopho diçe, siempre cayo de pies, como el abrojo. E çiertamente, Señor e mas que hermano mio, a los amigos tuyos e a mi, asy como a uno d'aquellos, es o deve ser de los tus trabajos el dolor, la mengua e la falta, asy como Livio deçia de Çipion: ca la virtut siempre sera, agora libre o detenido, rico o pobre, armado o sin armas, vivo o muerto, con una loable e maravillosa eternidat de fama.

II.   Con estos Ferraras me escreviste que algunos de mis tractados te enviasse por consolaçion tuya; e desde alli con aquella atençion que furtar se puede de los mayores negoçios, e despues de los familiares, pensse investigar alguna nueva manera, asy como remedios, o meditaçion contra Fortuna, tal que si ser podiesse, en esta vexaçion a la tu nobleça gratificasse, como non sin assaz justas e aparentes cabsas a lo tal e a mayores cosas yo sea tenido. Ca prinçipalmente ovimos unos mesmos abuelos, e las nuestras casas siempre, sin interrupçion alguna, se miraron con leales ojos, sinçero e amoroso acatamiento; e lo mas del tiempo de nuestra criança quassi una e en uno fue. Asy que, juntamente con las nuestras personas cresçio e se augmento nuestra verdadera amistat; siempre

me ploguieron e fueron gratas las cosas que
a ti: de lo qual me tove e tengo por contento,
por quanto aquellos a quien las obras de los
virtuosos plaçen, asy como librea o alguna
señal trahen de virtut. Una continuamente
fue nuestra mesa: un mesmo uso en todas las
cosas de paz e de guerra. Ninguna de las nuestras
camaras e despensas se pudo deçir menguada,
si la otra abastada fuesse. Nunca yo te demande
cosa que tu non cumpliesses, nin me la dene-
gasses. Lo qual me façe creer que las mis demandas fuessen retas e honestas e conformes a
la raçon, como sea que a los buenos e dottos
varones jamas les plega ni devan otorgar sinon
buenas e liçitas cosas. E sea agora por infor-
maçiones d'aquellos que mas han visto, e paresçe que verdaderamente ayan querido fablar
de las costumbres e calidades de todos los
señores e mayores omes deste nuestro reyno, o
d'aquellos que de treynta años, o poco mas,
que yo commençe la navegaçion en este vexado
e trabajoso golpho, he avido notiçia e conosçimiento, e de algunos compañia o familiaridad,
loando a todos, tu eres el que a mi mucho
ploguiste e plaçes. Ca la tu virtud non espero
a la mediana mancebia, nin a los postrimeros
dias de la vejez; ca en edat nueva e aun puedo
deçir moço, començo el resplandor de la tu
virilidat e nobleça. Nin es quien pueda negar que
fechas las treguas con los reynos de Aragon e
de Navarra, e levantadas las huestes del Garay
e del Majano, çessadas las guerras, en las
quales viril e muy virtuosamente te oviste,
e por ti obtenidas las inexpugnables fuerças de
Xalante, e Toreça, Sahara, e Xarafuel en el
reyno de Valencia, aver tu seydo de los primeros que contra Granada la frontera empren-

diesse, çiertamente estando ella en otro punto e mayor prosperidat que la tu dexaste, al tiempo que triunphal e gloriosamente por mandado de nuestro Rey de las fronteras de Cordova e de Jahen te partiste; aviendo vençido la batalla de Guadix e la pelea de Xerez e ganado tantas e mas villas e castillos, asy guerreandolas como combatiendolas e entrandolas forçosamente, que ninguno otro. E como quiera que el prinçipal remedio e libertat a la tu detençion e ynfortunios depende d'aquel que universalmente a los vexados reposa, a los aflittos remedia, e a los tristes alegra, espero yo que en algunos tiempos traera a memoria a los muy exçellentes e claros nuestro Rey e Prinçipe (como en la mano suya los coraçones de los reyes sean) todas las cosas que ya de los tus fechos yo he dicho, e muchos otros serviçios a la real casa de Castilla por los tuyos e por ti fechos, que por me allegar a la rivera e puerto de mi obra, dexo.

III. Recuerdome aver leydo en aquel libro, donde la vida del rey Assuero s'escrive, que «De Esther» se llama (como en aquel tiempo la costumbre de los reyes fuesse, en los retraymientos e reposos suyos, mandar leer las gestas e actos que los naturales de sus reynos e forasteros oviessen fecho en serviçio de los reyes, de la patria, o del bien publico), que Mardocheo prosperamente e con glorioso triunpho de la muerte fue librado. Pues lee nuestro Rey e mira los serviçios, regraçialos e satisfacelos; e si se aluenga, non se tira. Nin tanto logar avra el nuçible* apetito, nin la çiega saña, que tales e tan grandes aldabadas e voçes de serviçios las sus orejas non despierten: ca non son los nuestros señores Diomedes de Traçia, que de humana carne façia manjar a los sus cavallos; non Busseris de Egipto, matador de los huespedes; non Perillo Siracusano, que nuevos modos de penas buscava a los tristes culpados omes; non Dionisio desta misma Siracusa; non Attila, *flagellum Dei*, nin muchos otros tales; mas benivolos*, clementes e humanos, lo qual todo façe a mi fyrmemente esperar la tu libertat. La qual con salut tuya, e de tu noble muger, e de tus fijos dinos de ti, Nuestro Señor aderesçe, asy como yo desseo. E dende aqui daremos la pluma a lo proferido; e porque ante de todas las cosas sepas quien fue Bias, porque este es la prinçipalidat de mi thema, segunt adelante mas claro paresçera, delibere d'escrevir quien aya seydo e de donde, e algunos de sus nobles e loables actos e commendables sentençias, porque me paresçe façe mucho a nuestro fecho e caso.

IV.   Fue Bias, segunt que plaçe a Valerio e a Laerçio, que mas lata e extensamente escrivio de las vidas e costumbres de los philosophos, assiano de la cibdat de Ypremen; de noble prosapia e linaje, bien ynformado e instruydo en todas las liberales artes*, e en la natural e moral philosophia: de vulto* fermoso e de persona honorable; grave e de grand abtoridad en sus fechos: de claro e sotil engenio. Asy por mar como por tierra, anduvo toda a mayor parte de mundo: quanto tiempo turasse* en este loable exerçiçio, non s'escrive; pero baste que tornando en la provinçia e çibdat de Ypremen, fallo a los veçinos d'aquella en grandes guerras, asy navales como terrestres, con los mengarenses*, gentes poderosas, expertos en armas; a quien con grand atençion fue rogado, vista la dispusiçion e habilidat suya, la cura de la guerra, asy como capitan, emprendiesse. E como despues de muchos ruegos e grandes afincamientos la aceptasse, en muy pocos tiempos, asy de los amigos como de los enemigos, fue conosçida la su virtut e viril extremidat. Leemos del, entre otras muchas cosas de la su humanidat, que como cavalleros del exerçito prendiessen en una çibdat o villa grand copia de virgines juntamente con otras mugeres, tanto que a Bias llegaron las nuevas, mando con grand diligençia fuessen ayuntadas e depossitadas en poder de honestas matronas de su çibdat. E façiendoles graçias e dones de muy valerosas joyas, a los padres, maridos e parientes suyos, las restituyo, enviandolas con muy fieles guardas, blasfemando e denostando todo linaje de crueldat; diçiendo que aun los enemigos barbaros non devian con tal impiedat ser dapnificados. E como lo tal a las orejas de los megarenses llegasse, e el fermoso acto extensamente recontado les fuesse, sin dilaçion alguna, loando a aquel, enviaronle sus legados, reffiriendole graçias con muy ricos dones, demandandole paz con muy humilldes e mansos coraçones.

V. Despues, passados algunos tiempos, como de raro la Fortuna en ningunas cosas luengamente repose, e Aliato, prinçipe, sitiasse a los ypremenses*, esforçandose de aver la çibdat por fambre, como fuesse çierto de los vevires, e principalmente de pan caresçiesse, Bias con tal cabtela o arte de guerra assayo encubrir su defettuosa nesçessidat; ca fiço en algunos dias, durante el campo, engrossar çiertos cavallos e que se mostrassen, contra voluntat de las guardas, salir fuera de la çibdat: e como luego fuessen tomados, puso en gran dubda a Aliato e a los que con el eran, de la fambre de los ypremenses. Asy que, luego se tomo consejo que a Bias e a ellos fuesse movida fabla, por el qual fue açeptada, diçiendo que el non se fiava de fablar fuera de los muros de la su çibdat; mas que Aliato o qualesquiera otros suyos podian entrar seguros a fablar o tractar de qualesquier pactiones* e tractos, e de otras cosas, quales les ploguiesse. Açeptado lo qual, segunt este mesmo Laerçio escrive, muy mayor e mas sotil cabtela les fiço, ca mando poner muy grandes montones de arena en las maestras calles e plaças, por donde los mensajeros avian a passar, esparçiendo e cobriendo aquellas de todas maneras de pan. Asy que, verdaderamente creyeron ser• la opinion suya errada e los ypremenses en grand copia de mantenimientos abondados. E asy non solamente treguas a tiempo, mas paz perpetua fue entre ellos, con grandes certenidades* fecha, jurada e fyrmada. Testifica asy mesmo Valerio que dimitidas e dexadas las armas por este Bias, tanto se dio a esta sçiencia que todas otras cosas aborresçio, e las ovo asy como en odio: por tal que, non sin cabsa, uno de los siete sabios fue llamado e uno asy mesmo d'aquellos que, renunçiada la tabla o mesa de oro, la offresçieron con grand liberalidat al oraculo d'Apolo. Deste Bias asy mesmo se cuenta, que como aquella mesma çibdat agora por los megarenses, agora por otros enemigos se tomasse e posiesse a robo, todos aquellos que podieron escapar de las hostiles manos, cargando las cosas suyas de mayor presçio, fuyeron con ellas: e como el solo con grand reposo passeasse por los exidos* de la çibdat, fingese que la Fortuna le vino al encuentro e como le preguntasse como el non seguia la opinion de los otros veçinos de Ypremen, este fue el que respondio: *Omnia mea bona mecum porto;* que quiere deçir: todos los bienes mios conmigo los llevo. Diçen otros, de los quales Seneca es uno, que este fue Estilbon; pero digan lo que les plaçera, e sea qualquiera, tanto que sea; ca de los nombres vana e sin provecho es la disputa; e en conclusion este sera el nuestro thema.

VI. Escrivio Bias estas cosas, que se siguen: «—*Estudiat con placer a los honestos e a los viejos.—La osada manera muchas veces para empesçible* lesion.—Ser fuerte e fermoso, obra es de natura.—Abundar en riqueças, obra es de la fortuna. —Saber e poder fablar cosas convenibles e congruas, esto es proprio del anima e de la sabiduria. —Enfermedat es del animo cobdiçiar las cosas impossibles. —Non es de repetir el ageno mal. —Mas triste cosa es judgar entre dos amigos, que entre dos enemigos; ca judgando entre dos amigos, el uno sera fecho enemigo, e judgando entre dos enemigos, el uno sera fecho amigo. —Deçia que asy avia de ser meditada la vida de los omes, como si mucho tiempo oviessen de vivir. —Conviene a los omes averse asy en el uso del amistat, como si se membrassen que podía ser convertida en grave enemistat. —Qualquier cosa que pusieres, persevera en la guardar. —Non fables arrebatado, ca demuestra vanidat. —Ama la prudencia, e fabla de los dioses como son. —Non alabes al ome indino, por sus riqueças. —Lo que tomares, resçibelo demandandolo, e non forçan-*

dolo. —Qualquier cosa buena que fiçieres, Dios entiende que la façe. —La sabiduria mas cierta cosa es e mas segura que todas las otras posessiones. —Escoge los amigos e delibera grand tiempo en los elegir, e tenlos en una affection, mas non en un merito. —Tales amigos sigue, que non te faga verguença averlos escogido. —Faz que los amigos a grand gloria reputen la tu vida. —Dos cosas son contrarias en los consejos, yra e arrebatamiento: la yra façe peresçer el dia, el arrebatamiento traspassarlo.—La presteça mas graçioso face ser el benefiçio.—*Preguntado Bias que cosa fuesse en esta vida buena, dixo *tener la conçiencia abraçada con lo que fuesse derecho e igualeça.* —Preguntado quien fuesse entre los omes mal afortunado, respondio: *el que non puede padesçer o sofrir mala fortuna.* —Navegando Bias, en compañia de unos malos omes, corriendo fortuna e andando la nave para se perder, aquellos a grandes voçes llamavan a los dioses, porque los librassen: a los quales el dixo: *Callat, porque los dioses non vos sientan.* —Preguntado que cosa fuesse diffiçil al ome, respondio: *Sofrir graçiosamente la mudança en las penas.*

VII. Resplandesçio Bias en los tiempos de Ezechias, rey de Juda; e escrivio estas e otras cosas muchas en dos mil versos. A quien después de muerto los ypremenses edifficaron templo e fiçieron estatua.

CARTA A SU FIJO
DON PERO GONZALEZ

Estudiante en Salamanca entre 1445 y 1449

(Texto establecido por J. Amador de los Ríos, *Obras de Don Iñigo López de Mendoza, Marqués de Santillana*, pp. 481-82.

DON IÑIGO LOPEZ DE MENDOÇA, MARQUES

de Santillana, Conde del Real, a don Pero González de Mendoça, protonotario, su fijo, escribe salut.

I. Algunos libros e oraçiones he rescebido, por un pariente e amigo mio, este otro dia, que nuevamente es venido de Italia, los quales asy por Leonardo de Areçio, como por Pedro Caudino, milanes, d'aquel prinçipe de los poetas Homero, e de la Historia Troyana, que el compuso, a la qual *Iliade* intitulo, traducidos del griego a la lengua latina, creo ser primero, segundo, terçero o quarto, e parte del deçimo libro. E como quiera que por Guydo de Columna e informados de las relaçiones de Ditis, griego, e Dares, phrigio, e de otros muchos auctores assaz plenaria e extensamente ayamos notiçia d'aquellas, agradable cosa sera a mi ver obra de un tan alto varon e quassi soberano prinçipe de los poetas, mayormente de un litigio militar o guerra, el mayor, e mas antiguo que se cree aver seydo en el mundo. E asy, ya sea que non vos fallescan trabajos de vuestros estudios, por consolaçion e utilidat mia e de otros, vos ruego mucho vos dispongades; e pues que ya el mayor puerto, e creo de mayo-

res fragosidades, lo passaron aquellos dos prestantes varones, lo passedes vos el segundo, que
es de la lengua latina, al nuestro castellano
idioma.

II. Bien se yo agora que, segunt ya otras veçes
con vos e con otros me ha acaesçido, diredes
que la mayor parte o quassi toda de la dulçura
o graçiosidat quedan e retienen en si las
palabras e vocablos latinos: lo qual, como
quiera que lo yo non sepa, porque yo non lo
aprehendi, verdaderamente creo que los libros
asy de Sacra Scriptura, Testamento Viejo e
Nuevo, primeramente fueron escriptos en hebrayco que en latin, e en latin que en otros
lenguajes, en que oy se leen por todo el mundo,
e doctrina, e enseñança a todas gentes; e despues muchas otras historias, gestas fabulosas e
poemas. Ca difiçil cosa seria agora, que despues de assaz años e non menos trabajos, yo
quisiesse o me despusiesse a porfiar con la lengua latina, como quiera que Tullio afirma Caton, creo Utiçense *, en edat de ochenta años
aprehendiesse las letras griegas; pero solo e
singular fue Caton del linage humano en esto e
en otras muchas cosas.

III. E pues non podemos aver aquello que
queremos, queramos aquello que podemos. E si
caresçemos de las formas, seamos contentos de
las materias. A ruego e instançia mia, primero
que de otro alguno, se han vulgariçado * en
este reyno algunos poemas, asy como la
Eneyda de Virgilio, el libro mayor de las Transformaciones de Ovidio, las Tragedias de Luçio
Anio Seneca, e muchas otras cosas, en que yo
me he deleytado fasta este tiempo e me de

leyto, e son asy como un singular reposo a las vexaçiones e trabajos que el mundo continuamente trahe, mayormente en estos nuestros reynos. Asy que, açeptado por vos el tal cargo, prinçipalmente por la exçellençia de la materia e clara forma del poeta, e despues por el traduçidor, non dubdedes esta obra que todas las otras sera a mi muy mas grata. Todos dias sea bien de vos.

De la mi villa de BUYTRAGO, ...

GLOSARIO FILOLOGICO Y ONOMASTICO

abondamiento, *PP* 3: abundamiento, abundancia.

affection, *PC* 2; *PB* 6 (latinismo, L. *affectionem):* afecto, amor, aprecio.

Africano, *PP* 5: sobrenombre de los Escipiones; v. Çipión.

Achatesio Millesio, *PC* 5: Hecateo de Mileto. El Marqués dice que fue el primero de los poetas griegos, aceptando por buena la información de San Isidoro *(Etimologías* I, 38): *Hoc apud Graecos Achatesius Milesius fertur primus composuisse vel ut alii putant Pherecides Syrus.* Hecateo, hijo de Hegesandro, nació en Mileto hacia el año 549 a. de C. Nos informa de él Herodoto (V, 125), quien no le considera poeta, sino guerrero, político y viajero. Compuso dos obras importantes de la que sólo quedan algunos fragmentos: *Descripción de la Tierra y Genealogía.*

Agamenón, *PCo* 2: Uno de los más celebrados héroes de la Guerra de Troya; rey de Micenas y Argos, hermano de Menelao.

Agustino, *PCo* 1: San Agustín nació en Tagaste en el 354, y murió en Hipona, de donde era obispo, en 430. Combatió las sectas de los maniqueos, los donastistas y los pelagianos. Escribió multitud de tratados, comentarios diversos a las Sagradas Escrituras, y obras como *La Ciudad de Dios y Confesiones.* Suele considerársele a la cabeza de los padres de la Iglesia latina. Son muchas las referencias que San Agustín hace al amor y al conocimiento, pero la cita exacta de la frase que le atribuye Santillana no ha sido identificada por los críticos.

Alba, v. Conde de Alba.

Alen Charrotier, v. Charrotier, Alen.

Alexandre, v. *Libro de Alexandre.*

Alfonso el Magno, *PP* 3: Alfonso el Sabio, *PC* 16. Hijo de Fernando III el Santo, nacido en 1221. Como poeta se distingue por su obra personal escrita en gallego, *Cantigas:* 430 composiciones de temas marianos. Otras obras, compuestas bajo su dirección, son *Las Partidas, Los libros del saber de astronomía; El Lapidario; General estoria; Primera crónica general; Especulo; Fuero de las leyes.*

Aliatro, *PB* 5 (en l. *Alyattes*). Rey de Lidia, que reinó desde el 618 a. de C. hasta el 560, cuando le sucedió su hijo Creso.

Alpes, *PP* 3. Cordillera que separa Italia de España, Galia y Alemania, considerada como el terreno más elevado de Europa, tenida en la antigüedad como inatravesable. Se creía de Aníbal que fue el primero en atravesar los Alpes, abriéndose paso, con sus hombres y elefantes, entre las enormes rocas que ablandaba con fuego y vinagre.

Alvarez de Iyescas, Alfonso, *PC* 17. Más conocido como Alvarez de Villasandino (1350?-1428?). Poeta de corte, que debió asombrar a sus contemporáneos por su facilidad en la versificación. Sus contribuciones al *Cancionero de Baena* representan casi una tercera parte de la colección. El Marqués no nos da juicio cualitativo de Villasandino, limitándose a parafrasear lo que se había dicho de Ovidio: *Quidquid tentabat dicere versus erat.* Se ha sospechado que fuera un elogio irónico.

Aníbal, *PP* 3. Celebradísimo general cartaginés, hijo de Amílcar, a quien prometió en voto solemne que nunca pactaría con los romanos. Al morir Asdrúbal, tomó Aníbal el mando de todos los ejércitos de Cartago. Tres años le llevó a éste someter a toda España. La conquista de Sagunto, aliada de Roma, dio origen a la Segunda Guerra Púnica. El Marqués menciona la famosa travesía de los Alpes, que llevó a cabo Aníbal con un ejército que se decía compuesto de 20.000 hombres de infantería y

6.000 de caballería (algunos dan unas cifras mucho más elevadas). Los Alpes se creían inaccesibles, y antes de Aníbal, sólo Hércules había sido capaz de atravesarlos. Santillana se refiere a la narración de Tito Livio (21, 22 y ss.).

Antonio, *PP* 3. Marco Antonio, tribuno de la plebe, hombre de gran ambición y talento, amigo de Julio César, a cuya muerte pronunció la oración fúnebre. Más tarde integraría el Triunvirato con Octavio y Lépido. Antonio tomó bajo su mando el este del Imperio Romano, y en Egipto se enamoró de Cleopatra, con quien se casaría después. Murió a los cincuenta y seis años de edad a consecuencia de puñaladas que se infligió a sí mismo (año 30 a. de C.).

Apolo, *PB* 5. Dios de la mitología, hijo de Júpiter y Latona, también llamado Febo, y tenido como el dios Sol. Es representado como un joven bello, imberbe, con un arco o una lira en la mano, con unos rayos de luz que salen de su cabeza. Era el diós de la poesía, y habitaba el Parnaso en compañía de las nueve Musas. Su templo más famoso era el de Delfos, celebrado por sus oráculos (v. *délphicos*, más abajo).

apostar, *PC* 12. (Latinismo, L. *appositum*): hacer apuesto, bello; ataviar.

Aguitania, v. Equitania.

Apóstol, *PC* 1. El apóstol por antonomasia, San Pablo. La cita completa a la que se refiere el Marqués es: *Cum essem parvulus, loquebar ut parvulus, sapiebam ut parvulus, cogitabam ut parvulus. Quando autem factus sum vir, evacui quae erant parvuli (I Corin.,* 13, 11).

Arçediano de Toro, *PC* 17. Vivió en la segunda mitad del siglo XIV. Está representado en el *Cancionero de Baena* con tres canciones escritas en gallego. Santillana se refiere a su composición de despedida de amor y a la poesía, al rey, y a los compañeros trovadores.

Arçipreste de Hita, *PC* 14. Vivió en la primera mitad del siglo XIV. Autor del famoso *Libro de Buen Amor,* obra a la que el propio autor designa como *romance.* El moderno título fue propuesto primeramente por Wolf y aceptado y extendido por Menéndez Pidal. Poco se sabe de la vida del personaje real. La obra está escrita en primera persona y en ella se nos habla del gran amor del protagonista por las mujeres, por el buen vivir; su amor al pueblo y a la sierra. El Marqués no pasa juicio sobre esta obra; es posible que no la tuviera en gran estima, por su falta de organización y mesura; el mismo Santillana escribiría sus *Serranillas* con un arte más conciso, mesurado y humanitario (reverencial) que el del Arcipreste en sus *Serranas*.

Arecio, Leonardo Bruno de, *PC* 2; *CF* 1. Nació en 1369 y fue secretario del Papa Inocencio III. En 1433 asistió al Concilio de Basilea, donde hizo amistad con Alfonso de Cartagena, el Obispo de Burgos, con quien mantuvo correspondencia; es de suponer que el Aretino tomara contacto con el Marqués de Santillana, en cuya biblioteca se guardaban algunas de sus obras. También se relacionó el Aretino con el rey don Juan II, a quien dirigió algunas cartas.

Aristóteles, *PP* 4 (384-322 a. de C.). A veces el Marqués se refiere a él como *el filósofo*. El más celebrado de los filósofos griegos, discípulo de Platón y tutor de Alejandro Magno. Su escuela era conocida como *peripatética*, por la costumbre del maestro de enseñar paseándose de un lado a otro. Sus enseñanzas se extendían, con profundización sin precedentes, por todos los campos del conocimiento. Juan de Mena, contemporáneo y gran amigo del Marqués, se entusiasmaba en comentar que Aristóteles había nacido en España y, más concretamente, en su propia ciudad natal de Córdoba, basándose en una noticia de Plinio *(Coronación*, fol. 66-67; cf. bibl. 104, p. 334).

Arnaldo Daniel, *PC* 9. Arnaut Daniel (fl. 1180-1200), poeta provenzal, muy admirado de Dante. Cantó las contradicciones de la pasión amorosa. También Petrarca le imitó en su Soneto 177. Puede considerársele como un virtuoso de la métrica y la rima.

artes liberales, *PP* 4. Parece ser que fue Séneca el que denominó *Studia liberalia (Epist.* 88) aquellos estudios propios del hombre *libre*, que no eran cultivados por el afán de ganar dinero. En contraposición a los estudios liberales estaban las *artes mechanicae*. El sistema educativo con base en las artes liberales se remontaba al sofista Hipias de Elis (n. 468 a. de C.), contemporáneo de Sócrates. También data de antiguo la fijación de esas artes en siete. Boecio (n. 480?) dio el nombre de *quadri-*

vium (cuatro vías) a las cuatro de estudios más avanzados: Música, Aritmética, Geometría y Astronomía. En el siglo IX se llamó *trivium* a las tres primeras: Gramática, Dialéctica y Retórica.

artiçar: componer de acuerdo con las reglas de la retórica.

asonar: poner música a una composición poética. En el Marqués *asonar* y *consonar* no parecen referirse a la asonancia y consonancia de la rima en el sentido que hoy se les da a estos términos.

assayar (lat. tardío *exagium*): ensayar, hacer la prueba.

assiano (l. *asianus*): asiático.

Assuero, *PB* 3 (485-465 a. de C.). Nombre dado en los libros de la Biblia (*Esdras* 4 y 6, y *Ester* 1) a Jerjes I, rey de los persas (v. Xerçes).

Attila (m. 453). Rey de los unos, que invadió el Imperio Romano en tiempos de Valentiniano con un ejército de 500.000 hombres, devastando todo lo que encontraba a su paso. Dícese que se gloriaba de ser apodado *flagellum Dei* (el azote de Dios), que recuerda el Marqués.

Atropos, *PC* 21. Una de las tres parcas, hijas de Nox y Erebo, hermana de Cloto y Laquesis. Según la mitología era misión de estas Parcas la de presidir sobre las vidas de los hombres, desde su nacimiento hasta su muerte. A Cloto, la más joven, se la representaba con una rueca en la mano, y reinaba sobre el nacimiento de los humanos. Le correspondía a Laquesis hilar el curso de sus vidas. Atropos, la mayor de las tres, llevaba unas tijeras con las que cortaba el hilo de su existencia.

Ausias, v. March, Ausias.

balada (ital. *ballata*): Composición poética de tono sentimental y melancólico. Originariamente, como el Marqués indica y sugiere la etimología, era un canto con el que se acompañaba el baile.

Benbibre, *PC* 13 (Pao de, fl, fines del s. XIII). Trovador catalán, conocido también por los nombres Bellviure, Belliure, Bellviura, Benviure. No se sabe mucho de él, más allá de que fue mencionado por Francesh Ferrer —poeta catalán del s. XV— y por Ausias March, quien nos dice de aquél que se volvió loco de amor por su dueña.

benívolos: benévolos.

Berguedá, *PC* 13 (Guillén, fl. fines del s. XII). Uno de los primitivos trovadores catalanes, probablemente nacido en Bergadá, cerca de Berga. Llevó una vida turbulenta, salpicada de acciones sangrientas y traiciones, hasta terminar víctima de un soldado que le apuñaló la garganta.

Besaduc, *PP* 4 (Remon Vidal de Besalú). Famoso trovador del s. XIV, quien, según don Enrique de Villena, fue el principal de los fundadores del Consistorio de Tolosa en 1323. Escribió *La dreita maniera de trovar,* a la que debe estar refiriéndose el Marqués de Santillana.

Bías, *PB* 3 y *passim* (fl. 566 a. de C.). Uno de los celebrados Siete Sabios de Grecia, nacido en Priene. Más que filósofo, debe considerársele como hombre de leyes, defensor de los derechos de sus ciudadanos, defensor de la justicia. Lo que sabemos de él se debe principalmente a las narraciones de Diógenes Laercio (véase).

bloques o **bloqs:** versos de pie quebrado o truncado.

Boccaccio, *PC* 9, *PCo* 2 (Micer Juan; 1313-1375). Ilustre escritor italiano, discípulo de Petrarca. Este fijó la lengua de la poesía, aquél dio lustre a la prosa. Sus principales obras son: *De genealogia deorum gentilium; Vita Dantis; El Corbaccio; Nifal; Admeto; Decameron.* El Marqués tenía estas y otras obras en su biblioteca (cf. bibl. 22; 28; 59).

Boecio, *PC* 9 (Anicio Manlio Severino, 480?-524). Uno de los autores consagrados del *curriculum* medieval. Su obra, universalmente celebrada, es *De consolatione philosophiae,* a la que se refiere el Marqués como *Boeçio consolatorio.* La obra estaba en su biblioteca.

bordón (lat. tardío *burdonem;* ital. *bordone):* estribillo, motete, verso quebrado que se repite al final de cada copla.

bucólico: el verso bucólico, pastoral o pastoril; verso de las églogas. Petrarca y Boccaccio llamaban a la égloga *Bucolicorum carmen.*

Busseris de Egipto, *PB* 3 (Busiris). Legendario rey de Egipto, hijo de Neptuno y Libia o Lisianasa, que sacrificaba a Júpiter con gran crueldad a todos los extranjeros.

Calatrava, Orden de, *PC* 18. Orden militar, a imitación de la de los Templarios, de fundación española, que recibió el nombre de la ciudad de Calatrava. Fue fundada bajo las órdenes del abad San Raimundo (m. 1163) y su compañero del Cister Fray Diego de Velázquez. Recibió aprobación del Papa Alejandro III en 1164. La Orden de Calatrava desempeñó un papel importantísimo en la Reconquista.

Camoes, v. Pérez de Camoes, Vasco.

canción-cantar. Santillana parece diferenciar la canción del cantar y el romance. Canción es una composición generalmente breve, de tema cortés y amoroso. El cantar es de carácter popular (cf. bibl. 18; 19; 70; 124).

canción de opósitos: aquella en la que se hace exhibición de un juego estilístico, con términos y conceptos opuestos; de ascendencia trovadoresca y petrarquista.

Cancioneros: nombre dado en el siglo XV a las colecciones de canciones; el más famoso es el llamado *Cancionero de Baena,* por su copilador Juan Alfonso de Baena. En el siglo XV no encontramos el término *Romancero,* pues todavía no existía el tipo de composición corta y estilizada que abundaría en España a partir del siglo siguiente.

cantiga: composición poética, de temas cortesanos, destinada al canto. Los escritores gallego-portugueses llamaban *cantigas* a todas sus composiciones, independientemente de su asunto o tema.

Cappoa, *PP* 3 (Capua). Ciudad principal de Campania, rival de Roma en antigüedad y opulencia, hasta el punto de ser llamada *altera Roma* (segunda Roma). Los soldados de Aníbal se dejaron cautivar grandemente de la voluptuosidad, templado clima y placeres que ofrecía esta ciudad.

Casquillo, Ferrant, *PC* 15 (h. 1354). La única noticia que de él tenemos es la del Marqués. Debió formar parte de los trovadores gallegos.

Cassiodoro, *PC* 5 (Flavio Magno Aurelio; 490?-583?). Uno de los autores básicos del *curriculum* medieval; enciclopedista y político. Es posible que el Marqués tuviera una copia de su famosa obra *Variae,* que éste llama *Varias causas.* Esta obra se perdería junto con las *Etimologías* de San Isidoro. No ha sido identificado el pasaje que cita el Marqués.

Castro, v. González de Castro, Alfonso.

Catón, *PP* 3; *CF* 2. Sobrenombre de una de las más ilustres familias romanas. Sus miembros más distinguidos fueron Marco Porcio Catón, llamado el Censor, que murió a la avanzada edad de unos 86 años, en el año 150 a. de C. Se distinguió por su carácter austero y conservador y por su oposición a la introducción de las artes griegas en Roma. Se dice que más tarde cambió de opinión, hasta el punto de que a una edad muy avanzada se dedicó a estudiar el griego, consiguiendo un notable dominio de la lengua. En la *Carta a su Fijo*, Santillana hace referencia a esta anécdota que, por confusión, atribuye al *Uticense* en lugar del Censor. Era el Uticense Marco Catón, que murió en Utica, biznieto del Censor, también distinguido por su austeridad de carácter y su ideología estoica. Es muy conocido el hecho de su suicidio tras haber leído el tratado de Platón sobre la inmortalidad del alma, a la edad de 59 años (a. 46 a. de C.). El Uticense es el que atravesó los desiertos de Libia (*PP* 3), con el fin de unirse a Escipión, tras enterarse de la muerte de Pompeyo en las costas de Africa.

Caudiño, Pedro, *CF* 1 (Pedro Candido Decembri, m. hacia 1460). El nombre de Caudiño está evidentemente contaminado. Decembri era un humanista altamente estimado en Italia y muy relacionado con los hombres de la generación de Santillana, particularmente con don Alfonso de Cartagena. A través de él consiguieron los españoles obras latinas y traducciones.

Cavalgante, Guido, *PCo* 3. Nacido hacia 1258 en Florencia, fue Cavacanti filósofo y poeta, contemporáneo del Dante. Está considerado como uno de los principales sonetistas italianos.

Cecco D'Ascoli, v. d'Ascoli.

çefalenos, *PB* 1. Naturales de Cephalena, cuyos habitantes marcharon con Ulises a la guerra de Troya.

çertenidades, *PB* 5: certeza.

çesalpinos, *PC* 21: cisalpinos, situados entre los Alpes y Roma.

Çerda, Johan de la, *PC* 16 (de la primera mitad del s. XIV). No se sabe de ninguna obra que este personaje escribiera. Fue descendiente de reyes, nieto de Guzmán el

Bueno, y educado en Francia. Llevó una vida muy agitada, hasta morir decapitado en Sevilla por orden real.

Cesar, *PP* 3 y 5 (Cayo o Gayo Julio César, 100-44 a. de C.). Insigne historiador y gobernante, el más celebrado de los generales romanos. Su gloria como escritor es debida a sus comentarios sobre la *Guerra de las Galias* y sobre la *Guerra Civil.* El Marqués alude a su habilidad como versificador; hoy no se conservan sus obras en verso, sólo noticias de que escribió algunas.

çibo, *PC* 2 (latinismo, l. *cibum*): alimento; manjar.

Cicerón, v. Tullio.

Cid Ruy Dias, *PP* 3 (1040?-1099). El celebrado héroe castellano, conquistador de Valencia, protagonista del *Cantar de mio Cid.* Se cree que era uno de los ascendientes del Marqués de Santillana.

ciencia, v. sçiençia.

Çipiones, *PP* 3; *PB* 1. Escipiones: sobrenombre de una de las más insignes familias romanas. De entre ellos sobresalieron Publio, enviado a España para combatir a Aníbal en la Segunda Guerra Púnica. Su hermano Cneo y su hijo Publio Cornelio, llamado el Africano, fueron también muy celebrados; este último reconquistó España para Roma, recibiendo tal apelativo por haber destruido definitivamente a los cartagineses.

Claudiano, *PP* 5 (fl., s. IV). Escritor bastante conocido en la Edad Media, siendo uno de los escritores consagrados del *curriculum.* Su obra más conocida es *De raptu Proserpinae.* Poeta y filósofo, que se destaca por sus disquisiciones sobre la Naturaleza.

Cloto, *PC* 21. Unas de las tres Parcas (v. Atropos).

Columna, *CF* 1 (Guido delle Collonne, fl., s. XIII). Nacido en Messina, escribió poesías en italiano a imitación de los provenzales. Su obra principal fue la *Historia troyana,* en latín, que fue traducida al castellano, catalán y aragonés; de estas versiones tenía el Marqués copias en su biblioteca.

Comedia, *PCo* 2. La definición de Santillana está entroncada con la larga tradición medieval; tratar de encontrarle una fuente concreta, es algo así como querer averiguar de qué lago procede la lluvia que cae en nues-

tro jardín. Tomemos, por ejemplo, la definición de J.
de Garland (primera mitad del s. XIII), que nos da las
notas más comunes en su mayor concisión: *est differentia
inter tragediam et comediam, quia comedia est carmen io-
cosum incipiens a tristicia et terminans in gaudium; tragedia est carmen gravi stylo compositum incipiens a gaudio et
terminans in luctum* (bibl. 93, p. 918). La definición del
Marqués adquiere dignidad al examinarla en conjunto
con las que nos ofrecen sus colegas de Generación Literaria. El maestro don Enrique de Villena se refería así a
los géneros literarios de tragedia, sátira, comedia y lírica: *Es de notar que quatro fueron las maneras de los
poetas; los unos se deçian tragicos que tractaban los hechos
de los prinçipes y de las batallas y los que auien alegre
prinçipio y triste fin y diciese de tragos que es cabron en
griego que ansi como el cabron sube halas mas altas paries
ansi los tragicos diçien altas cossas por altas palabras; los
otros se llamaban satiricos que repreendian los viçios y
detestaban los malos fechos y diçiese ha satiron en griego
que es...* [borrón] *diçien comedicos porque façian comedias
y ya susso es dicho que quiere deçir comedia en una glosa
del prohemio; los otros y postrimeros se dicien liricos que
façien los versos con son para tañer y contarlos en las liras e
instrumentos aptos para esto, cantando en ello las gestas
antiguas segund oy fazen los rromançes* (bibl. 122, f. 18).
Juan de Mena daba la siguiente explicación: *Sepan los
que lo ignoran que por tres estilos escriuen, o escriuieron los
Poetas, es a saber por estilo Tragedico, Satirico, o Come-
dico. Tragedico es dicha la escritura que habla de altos
hechos, y por brauo e soberuio y alto estilo. La qual manera
siguieron Homero, Vergilio, Lucano y Stacio por la escritura
Tragedica: puesto que comiença en altos principios: su manera es acabar en tristes y desastrados fines. Satyra es el
segundo estilo de escreuir, la naturaleza de la qual escritura
y oficio suyo es reprehender los vicios: del qual estilo vsaro
* [n] *Horacio, Persio y Juuenal. El tercero estilo es comedia,
la qual trata de cosas baxas y pequeñas, y por baxo y
humilde estilo, y comiença en tristes principios, y fenece en
alegres fines: del qual vso Tere* [n] *cio* (bibl. 108, p. 266vo.).
Y en otro lugar: *Esta musa llamada comedia es tratar de las
cosas baxas asi como cantos de villa o de cibdad e aquesto
por simple e humilde estilo o deriuase este nombre de comos
que dize el griego por villa o por cibdad e edos por canto e
dezir de villa* (bibl. 109, f. 71; cf. también, bibl. 9,
pp. 512-14; 96; 107).

comentos, *PP* 2 (latinismo, 1. *commentum*): comentario, invención.

commendables, *PC* 16 (latinismo, 1. *commendabilem*): recomendable.

Conde de Alba, *PB*. Primo del Marqués de Santillana, por quien éste sentía una elevada predilección. Fue hecho prisionero por don Alvaro de Luna. Santillana escribió su diálogo *Bias contra Fortuna* y se lo dedicó en el erudito y sentido proemio a su encarcelado primo, para que le sirviera de consolación.

conorte, *PC* 4: consuelo, alivio (del l. *confortare* o de *hortari* con el prefijo). Berceo empleó *confuerto* con el mismo significado.

conquerir, *PP* 3: conquistar (anticuado como conquirir, del l. *conquirere:* buscar, rebuscar).

Consistorio de la gaya doctrina, *PP* 4. Se daba esta designación al tribunal o junta de mantenedores de los Juegos Florales, conocidos también como Gaya Ciencia, Gay Saber; para el Marqués, gaya doctrina (v. Besaduc).

consonar, *PC* 12. Es difícil saber si Santillana establecía alguna diferencia entre *asonar* y *consonar*, o si ambos eran sinónimos por *poner música a una composición*. El significado moderno de estos vocablos, como calificantes de rima asonante o consonante, es más reciente.

Copinete, v. Johan Copinete.

cobertura, *PC* 3. La fermosa cobertura de que habla el Marqués no es otra cosa que el estilo que cubre, vela, adorna las cosas útiles; el estilo que se vale de metáforas, fábulas o fingimientos. Un estilo que no era tan llano como hubieran preferido los que no estaban familiarizados con las historias o leyendas a las que el escritor aludía (véase *Defunsión de don Enrique*, est. 10). Era el estilo de los que huían del *ayuntamiento* con las gentes que no sabían (*Bías*, est. 140). Era el estilo ornado, aquel que, según Casiodoro, separaba a los cultos de los indoctos, pues el habla ordinaria era propiedad de todos *(loqui nobis communiter datum est; solus ornatus est, qui discernit indoctos, Variae,* XII, prefacio). San Jerónimo había comparado al poeta con el profeta; ambos hablaban en términos que sólo los iniciados podían comprender. Santillana diferenciaba entre los escritores que escribían *verdad* (historia) y los que escribían *por fermosura escuras fictiones* (*Defunssión*, 7). Es decir, el Marqués de Santillana fue el primero en abrir la poesía castellana, en teoría y práctica, a un mundo maravilloso de mitos y fábulas, que habían de interpretarse alegóricamente.

Checco Dascoli, v. d'Ascoli.

Charrotier, *PC* 11 (Alain Chartier, 1386?-1439?). Doctor en la Universidad de París, secretario real, canónigo, embajador y obispo. Sus obras fueron muy apreciadas por la viveza y brillantez de su estilo. El Marqués guardaba algunas de sus obras en su biblioteca (cf. bibl. 13).

Daniel, v. Arnaldo Daniel.

Dante, *PC* 5; *PCo* 2 (Dante Alighieri, 1265-1319). Autor del grandioso poema alegórico, joya de la literatura mundial, *La Divina Comedia*. Es sin disputa el más ilustre de los poetas medievales, iniciador del movimiento renacentista, que continuarían sus sucesores inmediatos Petrarca y Boccaccio. El Marqués de Santillana leyó a Dante. En su biblioteca guardaba seis Dantes; en alguno de los manuscritos se encuentran algunos comentarios marginales hechos por él. Sin embargo, aunque el Marqués admiraba grandemente a estos tres italianos, cuando comparaba a sus contemporáneos con los antepasados, los términos de la comparación hiperbólica eran los latinos, no los italianos (cf. bibl. 22; 26A; 52; 59; 62; 71).

dapnificados, *PB* 4: damnificados, perjudicados (error de transcripción).

Dares, phrigio, *CF* 1. Personaje legendario; se cree que escribió una narración de la destrucción de Troya, anterior a la de Homero. Lo que hoy se conoce es una traducción latina de la supuesta obra de Dares. Es posible que dicha obra, que gozó de gran favor entre los escritores del s. XV, particularmente entusiasmados con los temas de Troya, fuera escrita por un romano del s. VI. En los códices y primeras ediciones solía ir acompañada de la obra de Ditis (véase).

David, *PC* 4; *PP* 5. Rey de Israel que recibió de Dios la promesa de dinastía perpetua. Conquistó Jerusalén y la constituyó en capital del reino de Israel. Fue padre de Salomón y se le atribuye la autoría del *Salterio* (véase).

El Marqués hace referencia a la narración de *I Samuel*, 17, en la que se cuenta cómo David, humilde pastor, mató al gigante Goliat, derribándole de una pedrada con su honda. El traslado del Arca se narra en *II Samuel*, 6.

d'Ascoli, *PC* 9 (Cecco d'Ascoli, seudónimo de Francisco degli Stabili, 1257-1327). Poeta, médico y astrólogo, acusado de brujería y quemado vivo en Florencia. El Marqués hizo traer de Italia un códice de su obra *De propietatibus rerum*.

De Officios, *PP* 3 y 5. Obra muy conocida de Cicerón; v. Tullio.

dezidores: decidor, trovador. El Marqués trataba de establecer conscientemente la diferencia entre dezidor y poeta; era aquel el tradicional compositor de versos, de decires; éste, el que trataba de escribir siguiendo las normas y el estilo de los clásicos y sus imitadores.

dezir: género poético, algo diferente de la cantiga, pero sinónimo a veces del cantar.

delphico, *PC* 21. Perteneciente a Apolo (véase). Adjetivo inusitado en castellano —usado también por Villena—, y sumamente acertado en el contexto, pues se ven en él claramente reminiscencias de un verso de Horacio, en que el poeta pedía a la Musa que le coronara del laurel délfico: *mihi Delphica / Lauro cinge, volens, Melpomene, comam. Carmen* 3. 30. 15.

dictador: compositor de versos; dictado era igual que composición métrica.

Diego Furtado, v. Furtado, Diego.

diferidos, *PP* 1. Divulgados; llevados de una parte a otra (latinismo, l. *diferre).*

Diomedes de Tracia, *PB* 3. Rey de Tracia, hijo de Marte y Cirene, que alimentaba sus caballos con carne humana. Fue derrotado por Hércules, quien con sus restos alimentó a esos mismos caballos.

Dionís de Portugal, *PC* 15 (1261-1325). Rey, poeta y gran mecenas de las artes. Casado con Isabel de Aragón, más tarde, Santa Isabel. Fundó las universidades de Lisboa (1290) y Coimbra (1307). Mandó traducir las obras de Alfonso X el Sabio, su abuelo. El códice de las obras de don Dionís, al que Santillana hace alusión, se ha perdido.

Dionisio de Siracusa, *PB* 3. Hubo dos reyes de Siracusa, padre e hijo, con ese nombre. Ambos fueron juzgados crueles, mayormente el padre. Este pasó a la leyenda como hombre muy suspicaz, que incluso prohibió a su esposa e hijos entrar en su habitación sin un cacheo previo. Hizo construir una cueva subterránea en una roca en forma de oreja inmensa (80 pies de altura y 250 de longitud), que podía recoger los sonidos y las conversaciones de sus súbditos y los conducía hasta la cueva, donde el rey pasaba la mayor parte de su tiempo escuchando. Los artistas que construyeron el gran artefacto fueron ejecutados para evitar que revelaran el secreto.

Ditis, griego, *CF* 1. Ditis Cretense, que escribió un relato de la destrucción de Troya, que en las ediciones solía acompañar al de Dares (véase). La historia cubre desde el nacimiento de Paris hasta la muerte de Ulises. Se asemeja en muchas cosas a las narraciones de Homero, pero parece entremezclar ficciones de épocas posteriores, que engendran grandes sospechas sobre quién fuera en realidad su autor.

doçe pares, *PC* 3. Los Doce Pares de Francia era una antigua institución judicial, política y administrativa de ese país. Constituían los Doce Pares (*pares* indicaba que eran iguales en poder) una categoría especial de vasallos del rey. Los cantares de gesta hacen alusión a Carlomagno y sus Doce Pares. En ese caso se trataba de una leyenda, pues la historia de la institución no puede constatarse hasta el s. XIII. El número de doce no se sabe cuándo quedó establecido (bibl. 87, v. *pares).*

dulçeça, *PC* 4. Dulzura; se ha catalogado este vocablo como uno de los pocos italianismos del Marqués (ita. dolcezza). Resulta poco convincente, dado que la desinencia *-eza* es de pura autenticidad castellana. Entre otros contamos en castellano con *braveza* y *bravura*, *terneça* (*PP* 2) y *ternura*.

Egipto, *PB* 3. El país del NE de Africa y la península del Sinaí (v. Busseris).

égloga *PC* 7. En las escuelas medievales se dio el nombre de *eglogae* (en plural) a los diez poemas bucólicos o pastoriles de Virgilio. Se daba el nombre a los diálogos en verso entre rústicos. Mientras *pastoril* se aplicaba al contenido, *égloga* se refería a la forma.

elegíacos, *PC* 6. El metro elegíaco es el hexámetro dactílico (en griego), en el que solían escribirse los epitafios o poemas breves de las lápidas sepulcrales. Se cree que el primero en usarlos fue Arquíloco en el s. VII a. de C.

Elicón, *PC* 21. Helicón es el nombre de la montaña consagrada a las Musas (las *dueñas,* según las llama el Marqués), donde nacía la fuente Hipocrene.

Empédocles, *PC* 12. Filósofo, poeta e historiador, que floreció hacia el 444 a. de C. Adoptó la doctrina de la transmigración de las almas, y escribió un poema en el que describía los diversos estados en que había vivido con anterioridad: fue primero niña, luego chico, para pasar a ser arbusto, pájaro, pez y, finalmente, Empédocles.

empesçible: empecedero; dañoso; embarazoso.

enclosa: inclusa; encerrada; comprendida.

endechas, *PC* 6. Composiciones métricas de tono dolorido y sombrío, de tema por lo general funerario. Las endechas carecen de uniformidad métrica, aunque predomina el uso del hexasílabo. Posiblemente se deriva etimológicamente del término latino *indicia,* porque en ellas se *indicaban* las obras y virtudes del muerto.

Eneyda, *CF* 3. El famoso poema de Virgilio (véase), que canta a Eneas y su viaje y colonización de Italia. Su composición le llevó al autor como once años, y en los primeros seis libros parece que trató de imitar a Homero en su *Odisea,* y en los últimos al mismo en su *Ilíada.* Don Enrique de Villena se enorgullecía de haber sido el primero en traducir la obra completa a una lengua romance (cf. bibl. 102; 122).

Enio, *PC* 5 (Quinto, 239-169 a. de C.). Tradujo a los griegos, sobresaliendo entre los latinos por su obra *Anales.* Se reconocen en él atisbos de lo que se juzgó el genio romano: un sentimiento especial de grandeza y energía que no se pierde bajo la gran influencia que en él tenían las lecturas de los griegos. Se cuenta que Escipión, a la hora de morir, ordenó que le enterraran al lado de su amigo poeta. Enio fue el primer poeta de la épica romana, el Homero del Lacio. De él dijo Quintiliano: *es como un viejo bosque sagrado, cuyas robustas encinas, aunque no sean muy bellas, son muy venerables.*

145

Epístola a Lucilio. Séneca dedicó sus *Epístolas* a Lucilio (v. Séneca).

epitafio, *PC* 18. Poema breve elegíaco, escrito en lápidas sepulcrales.

epithalamias, *PC* 6. Se conocen también estas composiciones como *himeneos*, de Himene o Himen, dios del matrimonio entre los griegos. Son canciones de boda, destinadas a la recitación o canto a cargo de coros de jóvenes de ambos sexos junto a la cámara nupcial, cuando los novios se retiraban. Eran de catadura popular, por lo general jocosos.

Ercoles, v. Hércules.

Equitania, *PC* 21. Aquitania, nombre antiguo de la región SO de Galia. Hoy equivale a la provincia de Guyena.

Escipión, v. Çipion.

Esopo, *PP* 3. Más propiamente Asopo, nombre de un río de Beocia, región muy histórica de Grecia.

Esther, *PC* 2. Ester, judía de la tribu de Benjamín, que casó con Asuero (véase), rey de Persia. Intercedió ante su esposo para librar a su tío Mardoqueo de la muerte que contra él maquinó el primer ministro del reino, Amán. La historia se narra en el libro de *Ester* de la Biblia.

Estilbón, *PB* 5 (fl. 336 a. de C.). Famoso filósofo de Megara, de la escuela estoica.

estoicos, v. stoicos.

Ethiopia, *PP* 3. Etiopía, país de Africa, al sur de Egipto. Sus habitantes son de complexión oscura y los antiguos solían dar el nombre de Etiopía a todos los países cuyos habitantes tenían tez oscura.

estrambotes, *PC* 16. Forma lírica, de imitación francesa, por lo general de carácter satírico; también composición breve con estribillo o estrambote (también dicho estrimbote y estribote).

exidos, *PB* 5 (en el *Cantar de mio Cid*, exidas, l. *exitus):* salidas.

Ezechias, *PB* 7. Rey de Judá (726-697 a. de C.); sucedió a su padre Asaz. Su historia se narra en la Biblia (IV *Reyes* y II *Paralipómenos).*

Fadrique, *PC* 19. Don Fadrique de Castro, duque de Arjona, cuñado del Marqués de Santillana. Fue discípulo de Imperial y defendía la escuela italiana sobre la gallego-portuguesa.

Febrer, *PC* 13. Mossen Andrés Febrer, contemporáneo del Marqués, que tradujo al catalán la *Divina Comedia*, de Dante.

Fernán Gonçales, *PP* 3. Conde de Castilla que en el a. 950 creó el gran Condado de Castilla, consiguiendo del rey de León, si no la independencia absoluta, sí la autorización para establecer un Condado con un poder de mando hereditario autónomo, sin depender del arbitrio del rey de León. El héroe y la independencia castellana son ensalzados en el *Cantar de Fernán Gonçalez*, de a mediados del s. XIII.

Fernando, *PP* 3. Fernando III *el Santo*, rey de Castilla y León, padre de Alfonso X *el Sabio*. Con él se extendió su reino hasta el extremo sur de España con la conquista de Sevilla (a. 1248), a la que siguió la de Cádiz.

Fernández de Gerena, Garci, *PC* 17. Poeta de a finales del s. XIV, de la escuela trovadoresca de la Gaya Ciencia. Llevó una vida un tanto turbulenta; casó con una sensual morisca —de aquellas que cantaban el Arcipreste de Hita y Villasandino—, creyendo que tenía mucho dinero; luego descubriría que era pobre. Llegó a convertirse al islamismo en Málaga, donde vivió algún tiempo; más tarde regresó a Castilla arrepentido y lleno de miseria. Como versificador, algunos le han atribuido ciertos méritos.

Filisteos, v. Philisteos.

fiuza, *PCo* 3: confianza, esperanza (l. *fiducia);* forma empleada ya en el *Libro de Alexandre*.

fingir, *PB* 5. Vocablo especializado en los escritos del Marqués, como en los de Enrique de Villena y otros de su Generación, para referirse a la creación poética, la obra de imaginación; compárese con *fingimiento (PC* 3), en que se hace consistir esencialmente la poesía (l. *fingere* = crear, formar, plasmar).

flagelum Dei, *PB* 3: azote de Dios, apodo de Atila.

florentina, *PC* 13. La lengua florentina o de Florencia, en la región italiana de Toscana. También se denominaba lengua toscana o italiana.

follar, *PP* 3: anticuado por hollar.

Fortuna, *PB*. Diosa poderosísima de la Mitología, según Homero, hija del Océano, según Píndaro, una de las Parcas. Era venerada en diferentes partes de Grecia. Los romanos prestaron a esta diosa especial atención y levantaron más de ocho templos en su honor. Entre los contemporáneos y amigos del Marqués, recuérdese que Juan de Mena escribió *El Laberinto de Fortuna* (cf. bibl. 35; 104).

fortuna de mar, *PB* 1. Se empleaba en el español medieval el vocablo *fortuna* con el significado un tanto eufemístico de borrasca; nótese que en el apartado anterior, he apuntado a que Homero hacía a Fortuna, hija del Océano. El Marqués emplea la conocida expresión *fortuna de mar* para explicar, mediante sinonimia, el significado del vocablo inusitado en el castellano de la época, *naufragio* (l. *naufragium*).

Foxa, *PP* 4 (Jufre o Gofredo). Pertenece a los trovadores de fines del siglo XIV; no se sabe de él más de lo que el Marqués nos dice.

furtado: hurtado.

Gabaon, *PC* 4. Ciudad del norte de Jerusalén, conquistada por Josué (véase).

Gallias, *PP* 3. La antigua Galia era un país extenso del centro de Europa, llamada por los griegos Galacia. Sus habitantes eran valientes guerreros. Su conquista le llevó a César cuatro años. Los antiguos la dividían en cuatro partes; es muy conocida la división tripartita que hizo César. En tiempos más modernos Galia es equivalente de Francia.

Gallico, *PC* 10. Gálico, galos, franceses.

Garçi Fernández, v. Fernández de Gerena, Garci.

gaya sçiençia, *PC* 3. También se denominaba *gai saber*, denominación de origen provenzal, que significaba sabiduría o habilidad del trovador, según el código tolosano *Leyes d'amores*. Esta y otras perspectivas provenzales ejercieron durante mucho tiempo gran influencia en los versificadores en lengua romance, en los catalanes y en los castellanos, y culminaría con el *Arte de trovar*, de don Enrique de Villena, escrito en 1433. En el Marqués se aprecia la intención de reemplazar el trovador por el poeta, la gaya ciencia por la poesía, la influencia provenzal y francesa por la de los italianos.

Gayoso, Johan de, *PC* 19. Poeta contemporáneo del Marqués, de la casa del Duque de Arjona, posiblemente pariente de Moraña (véase).

gestas, *PB* 3. El Marqués de Santillana parece opinar que el origen de la recitación de gestas se encuentra en la Biblia. Para él las gestas son los *actos que los naturales de los reynos y forasteros han hecho en serviçio de sus reyes, la patria o el bien público.*

golpho, *PB* 2. Golfo parece proceder del catalán *golf,* s. XIII.

Gonçalez de Castro, Alfonso, *PC* 16. Posiblemente el poeta del mismo nombre, de hacia 1385, que perteneció a la Orden de Calatrava. La primera canción que Santillana le atribuye, en el *Cancionero de Baena* viene como de Macías.

Gonçalez de Mendoça, Pero, *PC* 16. Ascendiente del Marqués de Santillana, que compuso serranillas y cantares. Vivió durante los reinados de Don Pedro y Don Enrique.

Gonçalez de Senabria, Fernand, *PC* 15. Se discute entre los críticos la identidad de este poeta. Algunos creen tratarse del poeta gallego Seabra, otros creen que Senabria era apellido castellano, y que el personaje pudo ser castellano que escribía en portugués.

Grandson, Otho de, *PC* 11. Contemporáneo de Alain Chartier (v. Charrotier). Sus poesías se conservan en un códice de la biblioteca nacional de París.

Guevara, v. Vélez de Guevara.

Guirlanda, *PC* 17: guirnalda; v. laureado (véase laureado).

Guzmán, v. Pérez de Guzmán.

Hierusalen, *PC* 6. Jerusalén, la ciudad más gloriosa del pueblo de Israel, elegida por Dios para ser el centro y sede de su religión, y la cabeza del reino mesiánico. Entre los cristianos recibió parecidos honores, y fue alegorizada por San Juan en el *Apocalipsis* como la ciudad celestial, la esposa del Cordero.

Hipodemon, *PP* 3. Hijo de Nisimaco y Mitídice, y uno de los siete jefes que hicieron la expedición contra Tebas. Fue muerto por Ismaro.

Homero, *PC* 5; *PB* 1: CF l. El más antiguo y famoso de los poetas griegos. Se cree que floreció por el año 900 a. de C., y fue contemporáneo de Hesíodo. Su lugar de nacimiento es reclamado por más de siete ciudades. Se le atribuyen la *Iliada* y la *Odisea*. Santillana conocía, por lo menos los libros I, II, III y IV de la *Iliada*, que tradujo su hijo don Pedro González de Mendoza, directamente de la traducción latina de Pedro Cándido Decembri (véase Caudiño, Pedro).

Horacio, *PC* 20; *PCo* 2 (Quinto Horacio Flaco, 65-8 a. de C.). Célebre poeta latino, de Venusia, que gozó de los favores especiales de Mecenas y el emperador Augusto. Seguidor de la filosofía de Epicuro, cantó y gozó de la vida regalada y tranquila, alejándose de los honores de la Corte, hasta el punto de haber rehusado ser el secretario del emperador. Conocido a lo largo de la Edad Media más por sus *Sátiras* y *Epístolas* (entre éstas la *Ars poética)* que por sus *Odas*, tan imitadas entre los renacentistas. Fue el poeta latino que recibió mayor admiración entre los escritores españoles, y sus imitaciones comenzaron con la que hizo el Marqués de Santillana del *Beatus ille*. La cita que da el Marqués: *Quem nova concepit olla servabit odorem* es una modificación al estilo de las escuelas medievales —para facilitar la memorización—, del original horaciano: *Quo semel est imbuta recens servabit odorem. Testa diu* (*Epist.* 1, 2, 69-70). Cf. bibl. 31.

Ilyescas, v. Alvarez de Ilyescas, Alfonso.

Imperial, Miçer Françisco, *PC* 17. Poeta sevillano del siglo XIV, que introdujo en España los gustos por la poesía alegórica dantesca. Su padre fue genovés de nacimiento: él vivió y se educó en Sevilla. Su obra más conocida es el *Desyr de las Siete Virtudes*.

Isidoro Cartaginés, sancto arçobispo Ispalensi (560?-636). San Isidoro de Sevilla, llamado Cartaginés porque, según opinión de algunos, nació en Cartagena; llamado Ispalensi (hispalense), por haber sido Obispo de Sevilla, la antigua Hispalis. Gran enciclopedista e insigne transmisor del saber antiguo. Su obra más sobresaliente fue las *Etimologías*, uno de los libros básicos del *curriculum* medieval. El Marqués debió poseer en su biblioteca tal obra, que se cree haber desaparecido en el incendio que destruyó parte del castillo de Guadalajara en 1702. En el pasaje, Santillana alude a la antigüedad del hexámetro según *Etimologías* (1, 38): *Hoc primum Moses in cantico Deuteronomii, longe ante Pherecidem et Homerum fuisse apud Hebreos studium carminum quam apud gentiles* (cf. bibl. 101).

Januncello, *PC* 9. Guido Guinicelli, poeta de a mediados del s. XIII. El Marqués de Santillana, según declaración propia, dice no haber visto ninguna obra de este escritor. Algunos hablan de él como del primer escritor que trató asuntos filosóficos en metros italianos; otros dicen que superó en calidad de imaginación y arte a todos sus predecesores de la escuela boloñesa.

Jeremías, *PC* 6. Uno de los cuatro profetas mayores del Antiguo Testamento. Hombre de corazón amoroso y dolorido, a quien Dios confió la misión de vaticinar la ruina total de Jerusalén y de toda Judá. Se le atribuye la autoría del libro llamado *Lamentaciones.*

Job, *PC* 4. Personaje bíblico, que protagoniza el infortunio del hombre justo. No se sabe de su patria, creyendo algunos que era árabe, pues en el libro de *Job* (vers. 3) se dice que era grande entre *todos los orientales.*

Johan Copinete, *PC* 11. Jean Clopinel o de Meun, que floreció hacia 1270. Nació en Meun-sur-Loire. Tradujo los libros *De consolatione philosophiae* de Boecio (véase), pero es más conocido por haber sido el continuador del famoso poema medieval *Roman de la Rose,* que había comenzado cuarenta años antes Guillermo Lorris (véase).

Jorde de Sanct Jorde, *PC* 13. Jordi de Sant Jordi nació a finales del s. XIV, y fue poeta de gran mérito y camarero en la corte de Alfonso V de Aragón. Se distinguió por su dedicación a las armas y a las letras. Fue amigo de don Enrique de Villena y del Marqués de Santillana. Este le dedicó todo un poema, la *Coronación de Mossen Jordi* (f. bibl.1, pp. 332-340).

Juan, *PC* 17; *PC* 1 (1398-1479). Don Juan II de Aragón y I de Navarra. Nació en Medina del Campo y murió en Barcelona. Al morir Alfonso V de Aragón, su hermano (a. 1458), heredó Don Juan los territorios de la Corona de Aragón con los dominios de Sicilia y Cerdeña. Fue hombre muy letrado y patrocinador de las letras, y amigo de los humanistas (cf. bibl. 117).

Josué, *PC* 4. Persona de confianza y lugarteniente de Moisés en sus campañas. Cuando éste murió, le sucedió como caudillo Josué, con la misión de conducir al pueblo de Israel hasta la tierra prometida. En la Biblia, al *Pentateuco* le sigue el libro de *Josué*. En el cap. 9 de este libro se narra la rendición de Gabaón, situada al norte de Jerusalén.

Judá, *PB* 17. Nombre de uno de los estados hebreos que se formaron a la muerte de Salomón, al ocurrir el cisma del pueblo judío, hacia el 982 a. de C.

Laercio, *PB* 4 y 5 (Diógenes, m. 222). Filósofo epicúreo, nacido en Cilicia. Escribió la vida de los filósofos de la antigüedad en 10 libros: *De Clarorum Philosophorum Vitis, Dogmatibus et Apothegmatibus Libri*. En el lib. 1, cap. 5, da bastantes noticias sobre Bías (véase).

Lando, Ferrand Manuel, *PC* 19. Nació en Sevilla y vivió entre 1350 y 1420. Fue un buen poeta, representado en el *Cancionero de Baena* con 31 composiciones. Su mayor mérito es el que reconoce el Marqués, de haberse unido al movimiento de la escuela dantesca y alegórica de Francisco Imperial. Por ello le da el Marqués el distinguido título de *poeta*.

laureado, *PC* 6. Vocablo cargado de una fuerza significativa especial. Efectivamente, Petrarca (véase) fue coronado solemnemente por el Senado de Roma en el Capitolio. El Marqués de Santillana se fija en este hecho que despertó en él y sus contemporáneos una atracción especial hacia la corona de laurel, que restablecerían como símbolo de la excelencia del *poeta* (en los Juegos Florales a los *trovadores* se les entregaba una joya, en ceremonia que con gran pomposidad describe Enrique de Villena en su *Arte de trovar*). Santillana definía el laurel como *árbol de perpetua verdor, odorifero e de plaçiente sombra* (*GP* 54), en cuya definición se condensaban las tres grandes obsesiones de los humanistas: la perpetuidad de la fama, el goce de los sentidos y la vida retirada. Juan de Mena concedería a su amigo Iñigo López de Mendoza una corona de laurel, cuyo significado nos describe así: *Esta corona sedaua en otro tiempo alos sperimentados en las sçiencias e vniuersales en ellas por que asi como las hojas del laurel sienpre permanesçen verdes e nunca se secan asi la fama del que tal corona meresçia para sienpre permanescia verde e nunca se seca antes viue por sienpiterna rrecomendaçion* (bibl. 109, f. 74). En el comienzo mismo del poema *Coronaçión,* aclara que el Marqués merecía una corona hecha con las ramas de dos árboles *De laurel por que denota alabança et gloria de sabiduria dela qual fueron coronados Homero, Uirgilio Ouidio e otros. Otrosi es coronado de ramas de rrobles que denotan feroçidad et valentia et experto conosçimiento de la militar Sabiduria o disçiplina dela qual corona fue coronado el grand hercules* (bibl. 109, f. lv). Efectivamente, el laurel fue tomado desde muy antiguo como símbolo de la inspiración y el triunfo. En Grecia, que lo recibió de la India, era el árbol consagrado a Apolo, dios de las artes, de la poesía y de los oráculos. En Roma se extendió el uso de la corona de laurel para honrar a los cónsules y dictadores. En la Edad Media pervivió en las escuelas el empleo de la corona para los poetas y los sabios. Al candidato que triunfaba en los exámenes se le ofrecía una rama de laurel, de donde se originó, según algunos etimologistas, la designación de *baccalaureatus (bacca=* baya, y en sentido figurado anillo; y *laurus* = laurel) Hoy, en castellano y por influencia del francés, se dice *bachiller,* por contaminación de otras etimologías.

lays, *PC* 11. Se conoce como *lai* un tipo de composición poética antigua, quejumbrosa y lastimera. Dante hizo referencias a *i tristi lai* (en *Purgatorio,* cap. 9; bibl. 85).

Lemosines *PC* 10. Naturales de Limoges y su provincia, donde se habla la *lengua de oc* (ital. *limosino).* En el siglo XIII se hablaba lemosín en todo el sur de Francia, penetrando en el condado catalán.

lexaprén, *PC* 14. Se caracterizaba el arte de lexaprén por repetir al comienzo de cada estrofa el último verso de la anterior. El vocablo es un compuesto de *lexa* (deja) y *pren* (prende o toma).

Libia, *PP* 3. El Marqués emplea este nombre para comprender, como hacían los antiguos, a Africa, y no el país que hoy lleva ese nombre (véase Ethiopia).

Libro de Alexandre, *PC* 14. Desconocemos su autor; es un extenso cantar de la escuela del *Mester de Clerecía.* Su héroe es Alejandro Magno. Está muy influenciado de narraciones medievales de temas semejantes francesas y de cuentos orientales. Contiene narraciones brillantes y descripciones pintorescas, destacándose la de una amazona, interesante por ser el primer retrato femenino de nuestra literatura medieval.

litos, *PB* 1. (latinismo, *littus*): litoral, costa.

Livio, *PP* 3; *PB* 1 (Tito Livio, 50 a. de C.-17). Nació en la actual Padua. Vivió en Nápoles y Roma. Su nombre quedó inmortalizado con su gran obra sobre la historia de Roma en 140 libros, de los que se conservan 35. En España fue traducido al castellano por el Canciller de Ayala. El Marqués guardaba en su biblioteca un ejemplar de esta traducción que él mismo mandó copiar, y mencionó a Tito Livio con cierta frecuencia en sus escritos.

longicas, *PC* 19: longincuas, alejadas (1. *longinquum).*

López de Ayala, Pero, *PC* 14. (1332-1407). Celebrado poeta, prosista, historiador y traductor; político y guerrero; ascendiente y tutor del Marqués de Santillana. En su obra, *Rimado de Palacio* se nos muestra como poeta didáctico. Pertenece estilísticamente a la fase de decadencia del *Mester de Clerecía.* Son también muy notables sus *Crónicas,* escritas con sentido del dramatismo y no exentas de observaciones morales. Se distinguió como traductor de las *Décadas* de Tito Livio (véase), *Consolación* de Boecio (véase), *Morales* de Gregorio Magno, más otros tratados.

Lorris, *PC* 11 (Guillaume de, 1205?-1235?). El Marqués le llama Johan, quizá por la fácil asociación con Johan de Meun (v. Copinete). Nació en Lorris, y es conocido por su famosa obra *Roman de la Rose,* que más tarde continuaría el mencionado Jean de Meun. Se trata de una obra alegórica, a imitación de Ovidio (véase), en la que se celebra la dificultad de la conquista de la mujer amada.

Lucilio, *PP* 3. Lucilio Junior, procurador de Sicilia, a quien Séneca dedicó varios de sus tratados: *Epístolas, Cuestiones morales* y *De providencia.*

Luis de Francia, *PC* 11. (1215-1270). Luis IX *el Santo,* hijo de Luis VIII y de Blanca de Castilla. Fue canonizado en 1279. Patrocinó a Roberto Narbon en la fundación de la Universidad de París.

Maçias, *PC* 15. (m. hacia 1390). Poeta gallego, que gozó de mucha fama entre los escritores posteriores como protagonizador de el *Enamorado.* Fue doncel de don Enrique de Villena en la corte de Juan II de Castilla. Su fama se debió más que a sus obras originales, a su amor adúltero y su desdichada muerte. Hay dos versiones de esa muerte, coincidiendo ambas en que el poeta murió a manos del esposo de su amada. Uno de los que contribuyeron a la expansión de la leyenda de Macías fue precisamente Don Pedro, el Condestable de Portugal, el destinatario del *Prohemio e carta*, de Santillana. En el *Cancionero de Baena* (véase) Macías viene representado con cuatro de sus composiciones.

maestría mayor y menor, *PC* 14. Se llama arte mayor al de los versos de más de ocho sílabas, y menor, al de los de ocho o menos. Algunos llaman arte mayor o arte de Juan de Mena al de los versos de doce sílabas que este poeta cultivó con mayor acierto, y se prestaba para la grandilocuencia.

mansobre, *PC* 14. En el *Cancionero de Baena* (véase) se hacía distinción entre dos tipos de mansobre, el doble y el sencillo (o menor); el vocablo debe ser castellanización del portugués *mozdobre* (del prov. *motz*), y que designa la composición poética en la que el mismo verbo se repite en dos o más versos consecutivos en distinto tiempo.

marçiales, *PC* 21. Nótese el empleo tan apropiado del Marqués de un vocablo que Joan Corominas data de entrada en el castellano de h. 1570. Del l. *martialem* = perteneciente a Marte, dios de la guerra; aquí se refiere a los éxitos en la guerra o en las composiciones de carácter épico.

March, Mosén Ausias, *PC* 13 (1379-1459). Conocido poeta valenciano; trató de imitar a Dante y Petrarca. En su poesía se nota cierto platonismo erótico, presente en la escolástica medieval. No está exenta su poesía de cierta profundización en el análisis de los sentimientos. Algunos le consideran el último de los grandes trovadores.

March, Pero, *PC* 13 (m. 1413). Notable caballero, padre de Ausias March. Se cree que era natural de Valencia. Se distinguió principalmente por su actividad política, habiendo sido tesorero del Duque de Gandía. Escribió algunas composiciones en verso.

Mardocheo, *PB* 3. Judío en el reino del persa Asuero (véase), tío de Ester (véase).

megarense, *PB* 4. Naturales de Megara, ciudad de Acaya, entre Corinto y Atenas.

Mençia de Cisneros, *PC* 15. Abuela del Marqués de Santillana.

Michaute, *PC* 11 (Guillaume de Machaut, fl. 1366). Poeta y orador francés. El Marqués posiblemente se refiera al libro que se le atribuye con el título de *Doctrinal de Cour* (o a otro del que no tenemos noticia).

Moisen, *PC* 4. Moisés fue el primero de los profetas del pueblo de Israel, su caudillo y libertador. Haciéndose eco del testimonio de San Isidoro (véase), Santillana se refiere al Cántico de Moisés en *Deuteronomio*, 32.

Moraña, Alfonso de, *PC* 19. Poeta contemporáneo del Marqués de Santillana, de la casa del Duque de Arjona, posiblemente pariente de Johan de Gayoso.

Nola, *PP* 3. Antigua ciudad de Campania, que fue constituida en colonia romana antes de la Primera Guerra Púnica. Fue cercada por Aníbal y defendida con valor por Marcelo. Ya en tiempos cristianos, se dice que en Nola se inventaron las campanas (1. *campanae*, de Campania).

Noya, Berenguel de, *PP* 4. Poeta, natural de Mallorca, de a fines del s. XIV. Escribió un *Arte de trovar*.

nuçible, *PB* 3: nocible, nocivo.

Octaviano, *PC* 6 (Cayo Julio César Octaviano Augusto, 27 a. de C.-14). Emperador romano, inmortalizado en los poemas de Virgilio, Horacio y Ovidio. Se distinguió como patrocinador de las artes; se dice de él que escribió algunas tragedias, hoy desaparecidas. Suetonio cuenta que escribió un tratado en hexámetros. También Camões celebró a Augusto como poeta *(Os Lusiadas,* 5, 95).

Odisea, v. *Ulixea.*

Oraçio, v. Horacio.

origine (latinismo, 1. *originem*): origen.

Orpheo, *PC* 12. Algunos creían a Orfeo hijo de Apolo y de la musa Calíope. Recibió de los dioses la lira, que tocaba con tanta perfección que hacía detenerse a los ríos, trasladarse a las montañas, sosegarse a las fieras. Cuentan las leyendas de Orfeo que a su muerte recibió honores divinos y que fue enterrado con gran solemnidad por las propias musas; y de su lira, que fue convertida en constelación.

Otho de Grandson, v. Grandson, Otho de.

Ovidio, *PC* 17; *PP* 4 (Publio Ovidio Nasón, 43 a. de C. -17?). Poeta lírico latino, muy admirado e imitado a través de los tiempos. Recibió protección de Augusto, aunque también llegó a sufrir el destierro. Su facilidad en la versificación era tal que de él mismo se admiraba y llegó a decir que todo lo que intentaba escribir era verso (*et quod tentabam scribere versus erat*). En su vida y entre los temas de sus obras se destaca el destierro, al que fue enviado por el emperador por razones no del todo conocidas; sobresalió entre sus admiradores e imitadores como el poeta de la pasión amorosa. Sus obras principales son *Metamorfosis; Fastos; Amores; Arte de amar; Tristes; Heroidas.*

pactiones, *PB* 5 (latinismo, 1. *pactionem*): pacto, convenio o, como el mismo Santillana nos aclara mediante la sinonimia glosadora, tratos.

Paiva, v. Soares de Paiva, Joao.

palulares de Roma, *PP* 3. El Marqués hace referencia a la historia de la invasión del N de Italia por Aníbal. Se cuenta que éste perdió un ojo en la travesía de las zonas pantanosas del río Arno, que pasa por Florencia y Pisa para desembocar en el Mediterráneo. Alguien, el Marqués o un copista, leyó *Roma* por Arno (del 1. *paludem* = cenagal; pantano).

pariaseas, *PP* 3. Más correctamente *pareas* o *parias*, que designa a una familia de serpientes que se arrastran erigiéndose sobre la parte posterior de su cuerpo, marcando un curso al pasar. De ellas nos hablan Lucano (*Farsalia* 9, 721) y San Isidoro (*Etimologías*, 12, 4).

Pavon, v. *Votos del Pavon.*

Pedro, don (1429-1466). Condestable de Portugal, hijo del infante don Pedro, regente de Portugal, emparentado con las casas reales de Portugal, Inglaterra y Castilla; fue, como su padre y hermanos, gran patrocinador de las letras. Llevó una vida asaltada de tribulaciones y trató de buscar consuelo en la lectura y la composición poética. Don Pedro supo grangearse las simpatías del Marqués de Santillana, con quien se relacionó a la temprana edad de veinte años, posiblemente cuando envió al magnate castellano su *Sátira de felice e infelice vida*, en la primera versión portuguesa hoy perdida. El Marqués debió aprovechar la ocasión de tal envío para alentar al joven poeta, y le escribió el *Prohemio e carta*. Don Pedro enriqueció las letras castellanas con tres composiciones de bastante mérito: la mencionada *Sátira, Coplas del menosprecio e contempto de las cosas fermosas del mundo* y *Tragedia de la insigne reina doña Isabel* (cf. bibl. 94).

Peres de Camoes, Vasco, *PC* 15 (1361-1386). Ascendiente del gran poeta lusitano, autor de *Os lusiadas*. Poco se sabe de él, mientras algunos aseguran que era de Galicia, de donde se trasladó a Portugal, otros opinan que era portugués.

Pérez de Guzmán, Fernand, *PC* 18 (1376?-1460?). Ilustre caballero, señor de Batres, sobrino de don Pedro López de Ayala y tío del Marqués de Santillana. Su fama literaria se debe, sin duda, a la tercera parte de su obra *Mar de istorias*, que se suele editar aparte con el título de *Generaciones y semblanzas;* en esta obra se nos muestra el autor como excelente artista del retrato biográfico (cf. bibl. 115).

Perillo Siracusano, *PB* 3. Perillo de Atenas, que construyó un toro de bronce para Falaris, el tirano de Agrigento, ciudad de Sicilia, dominada en alguna ocasión por Siracusa. El toro fue fabricado con el propósito de quemar vivos a los criminales, quienes al ser ajusticiados en su interior, gemían y hacían bramar al toro. Falaris, al recibir el toro, hizo la prueba con el propio fabricante, poniendo fuego lento bajo el vientre de la estatua.

Petrarca, *PC* 7; *PCo* 3 (Francisco, 1304-1374). El gran impulsor del movimiento renacentista en Europa, el lírico cantor de Laura, de cuyo amor estuvo prendido por espacio de veintiún años. Fue coronado en Roma solemnemente por el Senado, en el Capitolio (a. 1341), con una corona de laurel. Fue asiduo lector y bibliófilo, que hizo copiar multitud de códices. Cultivó con esmero antes inigualado el soneto. Santillana guardaba entre sus libros algunas obras de Petrarca: *Sonetti e canzoni; De remediis utriusque fortunae; De viris illustribus; De vita solitaria;* las tenía en traducciones italianas y alguna en castellano (cf. bibl. 59).

Platón, *PP* 4 (429?-347? a. de C.). Su nombre original fue Aristocles, pero le llamaban Platón por la extraordinaria anchura de sus hombros. Este y Aristóteles (véase) comparten la supremacía entre los filósofos de Grecia. Recibió en su niñez una educación muy esmerada, hasta entrar en la escuela de Sócrates, a quien inmortalizaría en sus escritos. Tras una vida bastante agitada, en el año 388 fundó en Atenas la Academia. En sus escritos empleó con inmejorable arte el método del diálogo. Podría decirse que Platón ha sido el sabio de mayor influencia intelectual y espiritual de todos los tiempos.

poema, poesía, poeta. La contribución del Marqués de Santillana, en su teoría y práctica, fue decisiva para establecer en el castellano los vocablos y conceptos nuevos en el siglo XV de *poema, poesía* y *poeta;* con ellos se suplantarían definitivamente las anteriores designaciones de *gaya ciencia, decir* y *trovador* o *decidor.* Al igual que en el movimiento renacentista italiano, eran para Santillana *poetas* aquellos que escribían bajo la influencia de los clásicos, con ánimo de imitarlos. *Poema* y *poesía* era la obra de tales imitadores.

Portocarrero, v. Rodrigues Portocarrero, Fernand.

prenosticar, *PP* 3: pronosticar (gr. *progignosko,* contaminado con el 1. *praenosco).*

Príamo, *PCo* 2. Ultimo rey de Troya, hijo de Laodemón. El nombre Príamo significa *rescatado,* y se debió a que su hermana Hesión le rescató cuando fue hecho prisionero de Hércules en la toma de Troya. El mismo Hércules le devolvería el reino de aquella ciudad, años más tarde. Fue padre de muchos hijos, entre ellos los renombrados Héctor, Paris, Deífobo, Heleno, Troilo, Creusa, Casandra. Tuvo un lamentabilísimo fin; no sólo le tocó presenciar la atroz muerte de sus heroicos hijos en la guerra contra los griegos, sino que él mismo, ya muy anciano, fue decapitado por el hijo de Aquiles.

proençal, *PC* 9: provenzal; lengua y habla del SE de Francia.

Proverbios, *PC* 21; *PCo* 3. Se refiere el autor a su propia obra con el título de *Proverbios de gloriosa dotrina e fructuosa enseñança* (cf. bibl. 1, pp. 21-91; 41; 46).

Proverbios de Salomón, *PP* 1 y 3. Libro de la Biblia que se atribuye al rey Salomón (véase) por haber sido éste el autor principal.

Psalterio, *PC* 4 (1. *Psalterium).* Se designa así el libro de los *Salmos,* de la Biblia, que se atribuye al rey David por ser éste, si no el único autor, sí el principal.

Quintiliano, *PP* 5 (Marco Fabio, 35?-100). Célebre orador, escritor y preceptista latino, natural de Calahorra (Logroño). Gozó de gran fama de sabio en su época. Entre sus alumnos se destacó Plinio. De sus obras sólo ha sobrevivido *Institutiones oratoriae.*

regula, *PP* 4 (latinismo, 1. *regulam)*: regla.

rimo, v. terçio rimo.

Rodrigues Portocarrero, Fernand, *PC* 19. Poeta que, como indica Santillana, vivió bajo los auspicios del duque don Fadrique de Castro, a principios del s. XV.

romançe, *PC* 9. Lengua romance (l. *romanice)*, derivada de la lengua de la Romania o latín.

romançe, *PC* 9. En tiempos del Marqués de Santillana y anteriormente, como se explicó en la Introducción a este trabajo, se empleaba el nombre de *romance* para designar una composición en verso de considerable extensión, que se recitaba al son de un instrumento musical. Para Santillana era el romance un cantar, pero un cantar de considerable extensión. Villena y Mena identificaban como *romançe* una larga narración sobre Atlas (Atalante), que un juglar recitó tras el banquete en presencia de Dido y Eneas (véase la explicación en la Introducción a este trabajo). Fue en el siglo XVI cuando el término romance se fue especializando hasta designar las composiciones más cortas, hoy tan queridas de todos, que se copilaron en los llamados *Romanceros:* composiciones de versos octosilábicos y de rima asonante en los versos pares (cf. bibl. 12; 90; 91; 111).

romançistas o vulgares, *PC* 9. Los escritores de lengua romance o vulgar. En sentido peyorativo se decía de los que no sabían latín ni se preocupaban de las reglas clásicas del arte.

rondel, *PC* 11; *PP* 4 (fr. *rondeau)*. Composición métrica del antiguo francés, que tomó varias formas en diversas épocas. En un principio —quizá a éstos se refiera el Marqués— constaban de una estrofa de ocho versos, de los cuales el primero se repetía en el medio de la estrofa, y el primero y el segundo se repetían al final.

Ros, v. Ruedano.

Rubicon, *PP* 3. Pequeño río de Italia, que separaba este país de la Galia Cisalpina. Cuando César, a quien se le había encomendado la Galia, lo atravesó para encaminarse a Roma, que le había sido encomendada a Pompeyo, declaró con ello la guerra contra el Senado y contra Pompeyo, dando origen a las guerras civiles.

Ruedano, *PP* 3. El río Ródano, de la Galia Narbonense, que desemboca en el Mediterráneo, en las cercanías de Marsella.

Salomón, *PP* 1, 3 y 5. Rey de Israel, hijo de David y Betsabé. Sucedió a su padre en el reinado, y fue celebrado por su sabiduría y su magnificencia. Edificó el templo de Jerusalén y gobernó pacíficamente a su pueblo (v. *Proverbios).*

Salterio, v. *Psalterio.*

Sanches Talavera, Fernand, *PC* 18. Vivió en la primera mitad del s. XV; fue comendador de Covarrubias y viene representado en el *Cancionero de Baena* con 16 composiciones.

Santo (Rabi, 1290?-1369?). Sem Tob, poeta español, de Carrión de los Condes, de donde era el propio Iñigo López de Mendoza. Su nombre significa *Buen Nombre,* del hebreo, y por castellanización popular fonética se le llamó *Santo,* que además reflejaba la fama de su vida ejemplar y de sus escritos morales. Se convirtió al cristianismo y recibió protección especial del rey Pedro I, a quien el poeta dedicó sus *Proverbios morales.* En esta obra la métrica castellana se enriquece con el uso del heptasílabo, propio de la poesía hebrea y muy aceptable en la castellana, acostumbrada a la división en hemistiquios del viejo verso alejandrino (de catorce sílabas). En los *Proverbios* hay influencia de la Biblia, el *Talmud,* Avicebrón y Pedro Alfonso, entre los más destacados.

sátira, *PCo* 2. Véase la explicación en *comedia.*

Sátiro, *PCo* 2. Donato, gramático del s. IV, muy conocido en la Edad Media, enseñaba que la sátira era el modo de hablar de los sátiros, los semidioses del campo, hombres con piel y patas de cabra, con cuernitos en la frente y el cuerpo cubierto de pelo espeso y áspero; en la imaginación popular tenían fama de ser sucios y petulantes. Como etimología de sátira parece más aceptable la del 1. *satura,* que es *plato saturado* con ofrendas a los dioses rurales. No se sabe de ningún poeta antiguo con el nombre de Sátiro; lo cierto es que en la época del

Marqués otros autores, como Juan de Lucena, emplean Sátiro para referirse a Horacio, el autor satírico por antonomasia, apelación que le da el Obispo de Cartagena en el *Libro de vida beata* (bibl. 105, pp. 127 y 162). Parece ser que el Marqués de Santillana (o algún copista) se confundió al creer que hubo *un poeta que se llamó Satiro*, anterior a Horacio.

scandidas, *PC* 3: escandidas, medidas de acuerdo con las reglas del arte (1. *scandere:* subir gradualmente).

scenicos plautinos e terençianos, *PC* 10: representaciones escénicas; traducciones, adaptaciones o imitaciones de Plauto y Terencio, los príncipes de la comedia latina (cf. bibl. 18; 70; 124).

sçiençia, *PC* 3 (v. gaya sçiençia). El vocablo no tenía en la época del Marqués el significado más especializado que le atribuimos en nuestros días. Poca o ninguna distinción establecían entonces los escritores entre ciencia y arte. Don Enrique de Villena, por ejemplo, traducía el vocablo solitario del original latino de Virgilio *musa* (Eneida 1, 8), como: Oh musa, siquiere sçiençia (bibl. 102, p. 47).

Senabria, v. Gonçales de Senabria.

Séneca, *PP* 3 y 5; *PCo* 2; *PB* 4 (Lucio Anneo, 4? a. de C.–65). Se refiere el Marqués a Séneca el Joven o *el mançebo*. De la ilustre familia cordobesa de los Sénecas, se educó y vivió en Roma. Filósofo, seguidor de las doctrinas de Pitágoras, y uno de los mayores teorizadores del estoicismo. Vivió en una época turbulenta, la del emperador Nerón, de quien fue tutor. Más tarde el emperador le ordenaría que se abriera las venas; el filósofo así lo hizo. Podemos afirmar que Santillana y los de su Generación iniciaron en España el interés y la admiración por Séneca, tan duradera y fructuosa entre nuestros escritores; se ha llegado a hablar del *senequismo español*. El Marqués tenía varias obras de Séneca en su biblioteca, en latín, en italiano y en castellano, entre ellas las *Epístolas* y el tratado *De providentia dei* (cf. bibl. 43).

serranas, *PC* 15. Más conocidas como serranillas, son cantares de carácter muy español, con reminiscencias de la *pastourelle* provenzal y la *pastorela* gallegoportuguesa, más los primitivos villancicos. Fueron muy cultivadas en los siglos XIV y XV, siendo sus mejores representantes el Arcipreste de Hita y el Marqués de Santillana. Tratan de encuentros de caballeros con vaqueras o pastoras en la sierra (cf. bibl. 66; 67; 68; 69; 72).

Siracusa, *PB* 3. Famosa ciudad de Sicilia, fundada en 735 a. de C. En ella nacieron Teócrito y Arquímedes. En la época de Dionisio el Viejo (m. 368 a. de C.), mantuvo un ejército asalariado de 100.000 hombres de infantería, 10.000 de caballería y 400 barcos (v. Dionisio).

Soarez de Paiva, Johan (n. 1140). Llamado el Trovador como título especial que le fue otorgado por los méritos de su poesía. Se dice que tenía posesiones en el NE de España.

Sócrates, *PP* 4 (470?-390 a. de C.). El padre de la filosofía griega y el más celebrado de sus filósofos. Natural de Atenas, le cupo el honor de ser el maestro de Platón, quien en sus escritos inmortalizaría al maestro. Dejó establecido el método socrático, de preguntar al alumno fingiendo no saber, para luego dar él mismo la respuesta acertada. No escribió nada. Sus doctrinas fueron recogidas y divulgadas por sus alumnos, particularmente Platón. Combatió Sócrates la crueldad, la ignorancia y la injusticia. Fue acusado de corromper a la juventud de Grecia y de burlarse de los dioses que los atenienses veneraban. A Aristófanes le cabe el deshonor de haber ridiculizado en escena, para el pueblo, al gran filósofo en la comedia *Las nubes*. Sócrates fue condenado por los jueces de Atenas a beber la cicuta. Se cuenta que el verdugo le sirvió la pócima con lágrimas en los ojos; el filósofo se bebió el veneno con dignidad y serenidad; expiró a los pocos instantes.

soluta, *PC*.4 (latinismo, 1. *solutum*): suelta, con referencia a la prosa no sometida al número de sílabas o la rima, como el verso. En la época del Marqués se hacía preciso señalar si la prosa era suelta, pues el vocablo se había empleado en la Edad Media para indicar composición en verso, acepción con que el mismo Juan de Mena lo emplea (cf. bibl. 104, p. 239).

soneto, *PC* 7 y 9. Poema lírico de catorce versos, dos cuartetos seguidos de dos tercetos. Dante fue el primero de los grandes poetas en cultivarlo, aunque se cree que fue inventado hacia 1220, siendo sus primeras muestras los endecasílabos de Giacomo Da Lentino. El soneto adquiriría gran perfección con Petrarca quien, como Dante,

se valía del primer verso para expresar la nota domi-
nante de la composición, que desarrollaban en los siguientes. El Marqués de Santillana se dejó cautivar de la
belleza del soneto italiano y trató de imitarlo en sus
Sonetos fechos al itálico modo (cf. bibl. 6; 27; 28; 39; 50).

Sordello Mantuano, *PC* 5 (primera mitad del s. XIII). Famoso trovador provenzal inmortalizado por Dante en la
Divina Comedia (Purgatorio 6, 74; 8, 32; 9, 58). El Marqués se refiere al pasaje que, correctamente, dice:

> O gloria de' Latin, disse, per cui
> Mostrò ciò che potea la lingua nostra,
> O pregio eterno del loco ond' io fui.

stoycos, *PC* 4. Eran los estoicos una secta de filósofos, que
fundó el griego Cenón, y llamada así por el pórtico (en
griego, *stoa*) donde el filósofo solía exponer sus doctrinas. Ensalzaban la virtud por encima de todo, y creían
que la perfección y felicidad estaban al alcance del
hombre que lograra subyugar sus pasiones. Aceptaban el
suicidio y sostenían que el castigo o premio de la otra
vida era innecesario para la corrección de las costumbres. El Marqués se sentía muy atraído hacia esa filosofía de los estoicos, como demuestra la admiración que
sentía por Séneca (véase).

Taranto, *PP* 3. En la antigüedad Tarentum o Taras, ciudad
de Calabria.

Thebas, *PP* 3. Capital de Beocia, muy celebrada en la antigüedad; fue fundada por Cadmo, y desde muy antiguo
gozó de un gobierno monárquico. Fue mandada destruir
por Alejandro Magno, y más tarde fue reconstruida por
Casander, pero nunca más volvería a recobrar su prís-
tino prestigio.

terçio rimo, *PC* 9 y 10. Se denomina tercia rima aquella
cuyas estrofas son tercetos de versos endecasílabos.
Suele rimar el primero con el tercero de la primera
estrofa, rimando el segundo con el primero y tercero de
la segunda, y así sucesivamente. Es técnica de origen
italiano *(terza rima)*, empleada por Dante en la *Divina
Comedia* y por Petrarca y Boccaccio, sus imitadores, en
las composiciones alegóricas.

Terençio, *PP* 4; *PCo* 2 (Publio Terencio, 195?-159 a. de C.).
Llamado Peno por el Marqués por ser oriundo de Cartago (1. *Poenus* = cartaginés). Fue vendido como es-

clavo a Terencio Lucano, de quien adoptó su nombre y bajo quien recibió una esmerada educación. Más tarde fue manumetido por su señor en reconocimiento de la brillantez de su ingenio. Se dedicó al estudio de la comedia griega, y sobresalió como el más elegante y refinado de los escritores de comedia latinos.

terneça de edad, *PP* 2: la tierna edad.

Tiberio, *PC* 6 (Tiberio Claudio Nerón, 42 a. de C. –37). Reinó más de veintidós años; fue soberbio y vengativo, y a su muerte se alegró el pueblo. Por otra parte, patrocinó el cultivo de las letras y se destacó por su elocuencia. Existen noticias de que escribió versos.

Tito (Vespasiano, 40-81). Hijo de Vespasiano y de Flavia Domitila, que fue hecho emperador en el año 79. Se distinguió por su valor en el cerco de Jerusalén, y algunos historiadores le han reprochado su crueldad hacia los judíos. Se decía de él que podía improvisar versos en griego y en latín.

Traçia, *PB* 3. País extenso de Europa, cuyo nombre derivaba de Trax, hijo de Marte. Hoy correspondería a las zonas europeas de Turquía (v. Diomedes).

tragedia, *PCo* 2. Véase la explicación de *comedia*.

Transformaciones, *CF* 3. Traducción española de *Metamorfosis*, la obra de Ovidio.

Tullio, *PC* 3; *PP* 3 y 5; *CF* 2 (Marco Tulio Cicerón, 106-43 a. de C.) Filósofo, orador insigne y estadista romano. El Marqués, siguiendo el uso frecuente entre los medievales, prefiere llamarle Tullio. Es el escritor que el Marqués menciona con más frecuencia en sus escritos. En su biblioteca guardaba un buen número de los escritos de Cicerón, que sin duda había leído con interés y atención, como he probado en la Introducción (cf. bibl. 33).

turar, *PB* 4: aturar, durar (voz anticuada).

Ulixea, *PB* 1. *La Odisea*, el celebrado poema de Homero en que canta los trabajos de Ulises (véase), de donde el Marqués la titula *Ulixea*.

Ulixes, *PB* 1. Ulises y Ulixes son los nombres latinos del griego Odysseus, el héroe de la *Odisea* de Homero. Príncipe de Grecia, casó con la también celebrada Penélope. Tras la guerra de Troya, embarcó para regresar a Grecia y en su viaje sufrió una larga serie de calamidades e infortunios; esas aventuras son las que canta Homero.

Uticense, *CF* 3. Natural de Utica, ciudad de Africa en la bahía de Cartago. Célebre porque en ella murió Catón (véase), quien de ella tomo el apelativo.

Valerio, *PB* 4 y 5. Valerio Máximo floreció en la primera mitad del siglo primero. Fue muy leído en la Edad Media y muy estimado en España en el s. XV. Su fama se debe a la obra *De dictis factisque memorabilius libri*, en nueve libros, que dedicó al emperador Tiberio. Es una copilación de anécdotas curiosas distribuidas bajo encabezamientos conceptuales.

Vélez de Guevara, Pedro, *PC* 18. Tío del Marqués de Santillana, muy celebrado por sus decires y canciones. Su madre, doña Mencía de Ayala, era hermana del Canciller de Ayala. Fue valeroso guerrero.

veride, *PP* 5. En los diferentes manuscritos aparecen varias formas gráficas de este vocablo: *veride, vericle, veril, verile,* lo que nos indica que los copistas estaban muy inseguros; la forma hoy fija es *viril,* o vidrio transparente tras el que se guarda un objeto precioso. El vocablo se formó bajo la influencia del l. *vitrum* (vidrio) y *beryllus* (berilo, piedra preciosa de color esmeralda).

Vidal de Besaduc, v. Besaduc, Vidal de.

Virgilio, *PC* 5; *PP* 4. (Publio Virgilio Marón, 70-19 a. de C.). Nacido en Mantua, por lo que a veces se le llama el Mantuano. A juzgar por su popularidad, no hay duda que se destaca como el más grande de los poetas latinos. Sus obras fueron leídas y moralizadas por los escritores medievales, hasta convertirse en el eje del *curriculum* medieval de autores. Los renacentistas convertirían la admiración medieval en culto. Sus obras son la *Eneida, Geórgicas, Bucólicas* o *Eglogas,* entre las más notables. La *Eneida,* su obra máxima, era el poema nacional de Roma; fue traducida completa por primera vez a un idioma romance por don Enrique de Villena (bibl. 102; 122).

virolay, *PC* 11; *PC* 4. Más propiamente *virelay* (también *virelai* y *vireli*), era una forma métrica, originada en el s. XIII, y considerada como una variación del *lai* (véase); su diferenciación radica en que suelen tratar de asuntos jocosos y ligeros. Se componía el virelay de versos desiguales, llevando los versos más largos la misma rima que en los *lais* le correspondía a los cortos, y viceversa.

Votos del Pavón, Los, *PC* 14. Obra perdida, desafortunadamente. Se cree que fue escrita a imitación de la francesa *Roman du paone,* de a mediados del s. XIV.

vulgar, *PC* 9. Se dice de la lengua del vulgo, del pueblo ordinario, en contraposición al latín, la lengua de la escuela y de los hombres cultos. Era lo mismo que romance frente al latín; la designación procedía del l. *linguam vulgarem.* En plural se empleaba para designar a los también llamados *romançistas* (véase).

vulgarîçar, *CF* 3: traducir del latín a lengua vulgar o romance; con ello se pretendía *divulgar* la sabiduría de los antiguos.

vulto (latinismo, l. *vultum*): rostro, semblante.

Xerçes, *PCo* 2. Xerxes (o Jerjes), hijo de Darío, a quien sucedió en el trono de Persia. Conquistó Egipto y avanzó hacia Europa hasta invadir Grecia. Su enorme ejército sufrió un gran descalabro en las Termópilas, a cargo de los 300 espartanos que acaudillaba Leónidas. Murió Jerjes hacia el año 464 a. de C. (véase Assuero).

ynnotos, *PP* 2: ignotos, desconocidos, ignorados.

Ypremen, *PB* 4. El Marqués emplea Ypremen e ypremenses por Priene, ciudad del sabio Bías, y prienenses, sus ciudadanos, respectivamente.

BIBLIOGRAFIA

1 *Obras de don Iñigo López de Mendoza, Marqués de Santillana*, ed. José Amador de los Ríos. Madrid, 1852.

2 *Prose and verse* [selección], ed. J. B. Trend. Londres: The Dolphin Bookshop, 1940.

3 *Obras* [selección], ed. A. Cortina. Madrid: Espasa-Calpe, 1946.

4 *Canciones y decires*, ed. y notas de Vicente García de Diego. Madrid: Espasa-Calpe, 1964.

5 *Poesías completas*, ed., introducción y notas de M. Durán. Madrid: Castalia, 1975.

6 *Los sonetos al itálico modo de don Iñigo López de Mendoza, Marqués de Santillana.* Estudio crítico y nueva edición de A. Vegue y Goldoni. Madrid, 1911.

7 *Letter of the Marquis of Santillana to Don Peter, Constable of Portugal*, ed. A. R. Pastor y E. Prestage. Oxford: Claredon Press, 1927.

8 *La Comedieta de Ponza*, ed., prólogo y notas de J. M. Azáceta. Tetuán: Cremades, 1957.

9 *La Comedieta de Ponza*, ed. introducción y notas de M. P. A. M. Kerkhof. Groningen, 1976.

10 *Defunsión de don Enrique de Villena*, ed. introducción y notas de M. P. A. M. Kerkhof. La Haya, 1977.

11 AMADOR DE LOS RÍOS, JOSÉ. *Vida del Marqués de Santillana*. Buenos Aires: Espasa-Calpe, 1947.

12 ATKINSON, W. C. *The Interpretation of* 'Romances e cantares' *in Santillana*, Hispanic Review, 4 (1936), 1-10.

13 AUBURN, Ch. V. *Alain Chartier et le Marquis de Santillane*, Bulletin Hispanique, 40 (1938), 129-149.

14 AZÁCETA, J. M. and ALBÉNIZ, G. *Italia en la poesía de Santillana*, Revista de Literatura, 3 (1953), 17-57.

15 *Santillana y los reinos orientales*, Revista de Literatura, 5 (1954), 157-186.

16 BARREDA-TOMÁS, P. M. *Un análisis de la Comedieta de Ponza*, Boletín de Filología (Chile), 21 (1970), 175-191.

17 CIROT, G. *La topographie amoureuse du Marquis de Santillane*, Bulletin Hispanique, 37 (1935), 393-395.

18 CLARKE, D. C. *On Santillana's* una manera de decir cantares. Philological Quarterly, 36 (1957), 72-76.

19 —.*The Marqués de Santillana and the Spanish Ballad Problem*, Modern Philology, 49 (1961), 13-24.

20 DELGADO, JOSEFINA. *El Marqués de Santillana*. Buenos Aires, 1968.

21 DURÁN, MANUEL. *Santillana y el Prerrenacimiento*, Nueva Revista de Filología Hispánica, 15 (1961), 343-363.

22 FARINELLI, A. *La biblioteca del Santillana e l'umanesimo italo-ispanico*, en Italia e Spagna. Torino: Bocca, 1929, I, 387-425.

23 FERRIE, F. *Aspiraciones del humanismo español del siglo XV: Revaloración del 'Prohemio e Carta' de Santillana*, Revista de Filología Española, 57 (1974-75), 195-209.

24 FOREMAN, A. J. *The Structure and the Content of Santillana's Comedieta de Ponza*, Bulletin of Hispanic Studies, 51 (1974), 109-124.

25 FORTI COGUL, EUFEMIA. *El Marqués de Santillana i Catalunya*. Barcelona, 1971.

26 FOSTER, DAVID W. *The Marqués de Santillana*. New York: Twayne, 1971.

26A —.*The Misunderstanding of Dante in XVth Century Spanish Poetry*, Comparative Literature, 16 (1964), 338-347.

27 —.*Sonnet XIV of the Marqués de Santillana and the Waning of the Middle Ages*, Hispania, 50 (1967), 442-446.

28 FUCILLA, J. G. *Santillana's* 'Villancico' *and the Boccaccio Sonnet*, Modern Language Notes, 66 (1951), 167-68.

29 GAOS, VICENTE. *El Marqués de Santillana*, en Temas y problemas de literatura española. Madrid: Guadarrama, 1959, pp. 27-33.

30 GARCI-GÓMEZ, M. *La tradición clásica en las ideas y el estilo del Marqués de Santillana*, Tesis doctoral. Washington: The Catholic University of America, 1970.

31 —*Otras huellas de Horacio en el Marqués de Santillana*, Bulletin of Hispanic Studies, 50 (1973), 127-141.

32 —*La 'nueva manera' de Santillana: estructura y sentido de la Defunssión de don Enrique*, Hispanófila, 47 (1973), 3-26.

33 —*Paráfrasis de Cicerón en la definición de poesía de Santillana*, Hispania, 56 (1973), 207-12.

34 GIMENO CASALDUERO, J. La *Defunssión de don Enrique de Villena, del Marqués de Santillana. Composición, propósito y significado*, en Estructura y diseño en la literatura castellana medieval. Madrid, 1975, pp. 179-194.

35 GREEN, OTIS, H. *Sobre las dos fortunas: de tejas arriba y de tejas abajo*, en Studia Philologica. Homenaje a Dámaso Alonso. Madrid, Gredos, 1960-61, II, pp. 143-154.

36 KERKHOF, M. P. A. M. *Acerca de data do 'Poemio e carta' do Marqués de Santillana*, Portugiesische Forschungen der Görresgesellschaft, 12 Band. (1972-73), 1-6.

37 LAPESA, RAFAEL. *La obra literaria del Marqués de Santillana*. Madrid: Insula, 1957.

38 —*Sobre la fecha de la Comedieta de Ponza*, Archivum, 4 (1954), 81-86.

39 —*El endecasílabo en los sonetos de Santillana*, Romance Philology, 10 (1957), 180-85.

40 —*Un gran poema estoico del Marqués de Santillana*, Insula, 12, núm. 130 (1957), 1-2.

41 —*Los Proverbios de Santillana: contribución al estudio de sus fuentes*, Hispanófila, I (1957), 5-19.

42 LÓPEZ BASCUNANA, M. I. *Cultismos, arcaísmos, elementos populares y lenguaje paremiológico en la obra del Marqués de Santillana*, Anuario de filología (Barcelona), 3 (1977), 279-313.

43 —*Lucano y Séneca en la obra del Marqués de Santillana*, Boletín de la Real Academia de la Historia, 74 (1977), 217-238.

44 —*Los italianismos en la lengua del Marqués de Santillana*, Boletín de la Real Academia Española, 58 (1978), 545-54.

45 —*Santillana y el léxico español (adiciones al Diccionario de Corominas)*, Nueva Revista de Filología Hispánica, 27 (1978), 299-314.

46 MARTINS, M. *Da glosa dos provérbios de Santilhana em Gil Vicente*, en Estudos de Cultura Medieval. Braga: Ediçoes Magnificat, 1972, II, pp. 33-38.

47 MENÉNDEZ Y PELAYO, M. *El Marqués de Santillana*, en Poetas de la corte de don Juan II. Buenos Aires: Espasa Calpe, 1946, Cap. IV.

48 MUÑOZ CORTÉS, M. *La obra literaria del Marqués de Santillana en la crítica de Rafael Lapesa*, Cuadernos Hispano Americanos, 26 (1942-48).

49 PADILLA MANRIQUE, L. M. de, Condesa de Aranda. *Recopilación sucinta de la exemplar vida, virtudes heroycas y feliz transito de don I L. de M.*, en Ideas de Nobles, y sus desempeños, en aforismos. Zaragoza, 1964, pp. 1-46.

50 PENNA, MARIO. *Notas sobre el endecasílabo en los sonetos del Marqués de Santillana*, en Estudios dedicados a Menéndez Pidal. Madrid: CSIC, 1950-54, V, pp. 253-282.

51 PÉREZ Y CURTIS, M. *El Marqués de Santillana, Iñigo López de Mendoza. El poeta, el pensador y el hombre.* Montevideo: Renacimiento, 1916.

52 PIANCA, A. H. *Influencias dantescas en la obra del Marqués de Santillana*, Estudios, 21 (1965), 263-72.

53 PICCUS, JULES. *El Marqués de Santillana y Juan de Dueñas*, Hispanófila, 10 (1960), 1-7.

54 —*Rimas inéditas del Marqués de Santillana*, Hispanófila I (1957), 20-31.

55 REICHENBERGER, ARNOLD G. *El Marqués de Santillana and the Classical Tradition*, Iberorromania, 1 (1969), 5-34.

56 RUBIO ALVAREZ, F. *El Marqués de Santillana visto por los poetas de su tiempo*, La Ciudad de Dios, 171 (1958), 419-43.

57 RUNCINI, R. *La biblioteca del marchese di Santillana*, Letterature Moderne, 8 (1958), 626-36.

58 SÁNCHEZ Y ESCRIBANO, F. *Santillana y la colección de Refranes, Medina del Campo*, 1550, Hispanic Review, 10 (1942), 254-58.

59 SANVISENTI, B. *Don Iñigo López de Mendoza, marchese di Santillana*, en I primi influssi di Dante, del Petrarca e del Boccaccio. Milano: Ulrico Hoepli, 1902, Cap. IV.

60 SCHIFF, MARIO. *La bibliothèque du marquis de Santillane.* Paris: E. Boullon, 1905 (reimpresa en Amsterdam: Gérard Th. Van Heusden, 1970).

61 —.*Testament du Marquis de Santillane*, Revue Hispanique, 25 (1911), 114-33.

62 SERONDE, J. *Dante and the French Influence on the Marqués de Santillana*, Romanic Review, 7 (1916), 194-210.

63 —*A Study of the Relations of Some Leading French Poets of the XIV and XV Centuries to the Marqués de Santillana*, Romanic Review, 6 (1915), 60-86.

64 SPITZER, LEO. *A Passage of Santillana's 'Serranilla V'*, Hispanic Review, 21 (1953), 135-38.

65 STREET FLORENCE. *Some Reflections on Santillana's 'Prohemio é Carta'*, Modern Language Review, 52 (1957), 230-33.

66 TERRERO, JOSÉ. *Paisajes y pastoras en las 'serranillas' del Marqués de Santillana*, Cuadernos de Literatura, 7 (1950), 169-202.

67 TOLEDANO, J. *Las serranillas del Marqués de Santillana*, Síntesis, 4 (1928), 67-86.

68 VENDRELL DE MILLÁN, F. *Una nueva interpretación de la segunda serranilla*, Revista de filología española, 39 (1955), 24-45.

69 VILLEGAS MORALES, J. *Acerca de lo cortesano en las 'Serranillas' del Marqués de Santillana*, Anales de la Universidad de Chile, 117 (1959), 164-67.

70 WEBBER, EDWIN J. *Further Observations on Santillana's Dezir cantares*, Hispanic Review, 30 (1962), 87-93.

71 —*Santillana's Dantesque Comedy*, Bulletin of Hispanic Studies, 34 (1957), 37-40.

72 WEISS, ARNOLD H. *A Note on Santillana's Serranilla V*, Modern Language Notes, 72 (1957), 343-44.

OTRAS FUENTES

73 ALONSO, DÁMASO. *De los siglos oscuros al de Oro.* Madrid, 1964.

74 ARCIPRESTE DE HITA. *Libro del Buen Amor*, ed. J. Corominas. Madrid: Gredos, 1967.

75 ARGOTE DE MOLINA, J. *Nobleza de Andalucía*. Jaén: Muñoz Garnica, 1866.

76 ATKINS, J. W. H. *English Literary Criticism: The Renascence*. London, 1947.

77 BOCCACCIO, G. *Genealogiae deorum gentilium libri*, ed. V. Romano. Bari, 1951.

78 BOLGAR, R. P. *The Classical Heritage*. New York: Harper, 1964.

79 BURCKHARDT, J. *The Civilization of the Renaissance in Italy*. Trad. de S. G. C. Middlemore. Vienna: The Phaidon Press (s. f.).

80 —*Cancionero Castellano del siglo XV*, ordenado por R. Foulché-Delbosc, Madrid: NBAE, 1912.

81 —*Cancionero de Baena*, ed. crít. de J. María Azáceta. Madrid: CSIC, 1966.

82 CARTAGENA, ALONSO DE. *La rhetorica de M. Tullio Cicerón*, ed. con introducción de Rosalba Masgagna. Ligouri-Napoli, 1969.

83 COROMINAS, J. *Diccionario crítico etimológico de la lengua castellana*, 4 tomos. Berna, 1954.

84 CURTIUS, E. R. *European Literature and the Latin Middle Ages*, trad. de W. R. Trask. New York: Harper and Row, 1963; ed. en castellano, México: Fondo de Cultura, 1955.

85 DANTE ALIGHIERI. *La Divina Comedia*, comentada por G. A. Scartazzini, Milano, 1925 (octava edición).

86 DI CAMILLO, OTTAVIO. *El humanismo castellano del siglo XV*. Valencia: Fernando Torres, 1976.

87 DU CANGE. *Glossarium mediae et infimae latinitatis*, Graz, 1954 (6 tomos).

88 FARAL, EDMOND. *Les arts poétiques du XIIe siècle*. Paris, 1924.

89 FAULHABER, CH. *Latin Rhetorical Theory in Thirteenth and Fourteenth Century Castille*. Berkeley and Los Angeles, 1972.

90 GARCI-GÓMEZ, M. *Romance según los textos españoles del Medievo y Prerrenacimiento*, The Journal of Medieval and Renaissance Studies, 4 (1974), 35-62.

91 —*The Reaction against Medieval Romances. Its Spanish Forerunners*, Neophilologus, 60 (1976), 220-232.

92 GARIN, E. *La cultura del Rinascimento*. Bari, 1967.

93 GARLAND, J. de. *Poetria*, Romanische Forschungen, 13 (1921).

94 GASCÓN-VERA, E. Don Pedro. Condestable de Portugal. Madrid: Fundación Universitaria, 1979.

95 —*La quema de los libros de don Enrique de Villena: una maniobra política y antisemítica*, Bulletin of Hispanic Studies, 56 (1979), 317-324.

96 —*El concepto de tragedia en los escritos cultos de la corte de Juan II*, Actas del VI Congreso Inter. de Hispan. Toronto, 1977.

97 KOHUT, KARL. *Las teorías literarias en España y Portugal durante los siglos XV y XVI*. Madrid: CSIC, 1973.

98 JUAN MANUEL. *Obras*. Madrid: BAE, 1952.

99 HALL, VERNON. *Renaissance Literary Criticism. A Study of Its Social Content*. Gloucester: Peter Smith, 1959.

100 HIGHET, GILBERT. *The Classical Tradition. Greek and Roman Influences in Western Literature*. New York: Oxford U. Press, 1957.

101 ISIDORO, SAN. *Isidori Hispalensis Episcopi Etymologiarum sive Originum Libri XX*, ed. de W. M. Lindsay, Oxford, 1966 (2 tomos).

102 LACUESTA, SANTIAGO. *La primera versión castellana de la Eneida de Virgilio*. Madrid: Real Academia, 1981.

103 LAUSBERG, H. *Manual de retórica literaria*, trad. de Sánchez Pacheco. Madrid: Gredos, 1966-68 (3 tomos).

104 LIDA, MARÍA ROSA. *Juan de Mena, poeta del prerrenacimiento español*. México: El Colegio de México, 1950.

105 LUCENA, JUAN. *Libro de vida beata*, en *Opúsculos literarios* (véase), pp. 103-205.

106 —*Carta exhortatoria a las letras*, en *Opúsculos literarios* (véase), pp. 207-217.

107 MCMAHON, A. PH. *Seven Questions on Aristotelian Definitions of Tragedy and Comedy*, Harvard Studies in Classical Philology, 40 (1929), 97-202.

108 MENA, JUAN DE. *Todas las obras del famosíssimo poeta Juan de Mena, con la glosa del Comendador Fernán Núñez sobre las Trezientas*. Amberes: Martín Nucio, 1552.

109 —*La Coronación*. ¿Toulouse, 1489? (edición facsímil de la Hispanic Society of America, 1964).

110 MENÉNDEZ PIDAL, R. *Caracteres primordiales de la literatura española con referencias a las otras literaturas his-*

pánicas, latina, portuguesa y catalana, en *Historia General de las Literaturas Hispánicas,* ed. de Díaz Plaja, Barcelona, 1949. Tomo I, pp. XIII-LXXV.

111 —*Romancero hispánico.* Madrid: Espasa-Calpe, 1953, 2 tomos.

112 MENÉNDEZ Y PELAYO, M. *Antología de poetas líricos castellanos.* Madrid, 1903.

113 —*Horacio en España.* Madrid, A. Pérez Dubrul, 1926, 2 tomos.

114 —*Opúsculos literarios de los siglos XIV a XVI,* ed. A. Paz y Mélia. Madrid: Sociedad de Bibliófilos Españoles, 1892.

115 PÉREZ DE GUZMÁN, F. *Generaciones y semblanzas.* Madrid: Espasa-Calpe, 1954.

116 ROUND, N. G. *Renaissance Culture and Its Opponents in Fifteenth Century Castille,* Modern Language Reviews, 57 (1962), 204-15.

117 RUBIO, F. *Don Juan II de Castilla y el movimiento humanístico de su reinado,* Ciudad de Dios, 168 (1955), 55-100.

118 SAINTSBURY, G. A. *A History of Criticism and Literary Taste in Europe.* London, 1949 (3 tomos).

119 SMITH GREGORY, G. *Elizabethan Critical Essays.* London, 1934.

120 SMITH, WILLIAM. *Dictionary of Greek and Roman Biography and Mythology.* London, 1869 (3 tomos).

121 SPINGARN, J. E. *A History of Literary Criticism in the Tenaissance.* New York, 1938.

122 VIRGILIO. *Eneida,* trad. de Enrique de Villena. MS de la Biblioteca Nacional (Madrid), sig. 1874.

123 VOSSLER, K. *Poetische Theorien in der italienischen Frührenaissance.* Berlin, 1900.

124 WEBBER, EDWIN J. *Plautine and Terentian 'Cantares' in Fourteenth Century Spain,* Hispanic Review, 18 (1950), 93-107.

125 WEINBERG, BERNARD. *A History of Literary Criticism in the Italian Renaissance.* Chicago, 1961 (2 tomos).

INDICE

VOLÚMENES PUBLICADOS

BIBLIOTECA DE LA LITERATURA Y EL PENSAMIENTO HISPÁNICOS

1. JUAN RUIZ DE ALARCÓN: *Tres comedias de «enredo».* Edición preparada por Joaquín de Entrambasaguas y Peña.
2. PEDRO ANTONIO DE ALARCÓN: *La pródiga.* Edición preparada por Alberto Navarro González.
3. LOPE DE VEGA: *Teatro.* Edición preparada por José María Díez Borque.
4. DOMINGO F. SARMIENTO: *Facundo (Civilización y barbarie).* Edición preparada por Luis Ortega Galindo.
5. ALFONSO DE VALDÉS: *Diálogo de las cosas ocurridas en Roma.* Edición preparada por José Luis Abellán García.
6. JOSÉ MARTÍ: *Antología.* Edición preparada por Andrés Sorel.
7. CADALSO: *Cartas marruecas.* Edición preparada por Rogelio Reyes Cano.
8. BOLÍVAR: *Discursos, proclamas y epistolario político.* Edición preparada por Mario H. Sánchez-Barba.
9. GARCILASO DE LA VEGA: *Obra completa.* Edición preparada por Alfonso I. Sotelo Salas.
10. JORGE DE MONTEMAYOR: *Los siete libros de la Diana.* Edición preparada por Enrique Moreno Báez.
11. IRIARTE: *Fábulas literarias.* Edición preparada por Sebastián de la Nuez Caballero.
12. CERVANTES: *Novelas ejemplares* (2 vols.). Edición preparada por Mariano Baquero Goyanes.
13. JUAN DE MENA: *Laberinto de Fortuna. Poemas menores.* Edición preparada por Miguel Angel Pérez Priego.
14. HUARTE DE SAN JUAN: *Examen de ingenios para las ciencias.* Edición preparada por Esteban Torre.

15. FERNÁNDEZ DE LIZARDI: *Periquillo Sarmiento*. Edición preparada por Luis Sainz de Medrano.
16. SAAVEDRA FAJARDO: *Empresas políticas*. Edición preparada por Quintín Aldea Vaquero.
17. ANDRÉS BELLO: *Antología de discursos y escritos*. Edición preparada por José María Vila Selma.
18. FRANCISCO DE MIRANDA: *Diario de viajes y escritos políticos*. Edición preparada por M. Hernández Sánchez-Barba.
19. LEANDRO FERNÁNDEZ DE MORATÍN: *Teatro completo*. Edición preparada por Manuel Fernández Nieto.
20. *La pícara Justina*. Edición preparada por Antonio Rey Hazas.
21. MIGUEL DE MOLINOS: *Guía espiritual*. Edición preparada por Santiago González Noriega.
22. ANÓNIMO: *Lazarillo de Tormes*, y J. DE LUNA: *Segunda parte del Lazarillo de Tormes*. Edición preparada por Pedro M. Piñero Ramírez.
23. FERNANDO DE ROJAS: *La Celestina*. Edición fonológica de M. Criado del Val.
24. IBN HUDAYL: *Gala de caballeros, blasón de paladines*. Edición preparada por María Jesús Viguera.
25. JOSÉ ZORRILLA: *Teatro selecto*. Edición preparada por Joaquín de Entrambasaguas.
26. INFANTE DON JUAN MANUEL: *El conde Lucanor*. Edición preparada por Antonio Martínez-Menchen.
27. JUAN DE MONTALVO: *Siete tratados. Réplica a un sofista seudocatólico*. Edición preparada por José Luis Abellán.
28. MARIANO, J. DE LARRA: *Antología*. Edición preparada por Armando López Salinas.
29. CALDERÓN DE LA BARCA: *Dos tragedias*. Edición preparada por José María Díez Borque.
30. DONOSO CORTÉS: *Ensayo sobre el catolicismo, el liberalismo y el socialismo*. Edición preparada por José Vila Selma.
31. CAMPOMANES: *Discurso sobre la educación popular de los artesanos y su fomento*. Edición preparada por Francisco Aguilar Piñal.
32. SOR JUANA INÉS DE LA CRUZ: *Selección*. Edición preparada por Luis Ortega Galindo.
33. QUINTANA: *Selección poética*. Edición preparada por Rogelio Reyes Cano.
34. RAMÓN LLULL: *Proverbios de Ramón*. Edición preparada por Sebastián García Palou.
35. ANÓNIMO: *Libro de Alexandre*. Edición preparada por Jesús Cañas Murillo.
36. ANTONIO EXIMENO: *Del origen y reglas de la música*. Edición preparada por Francisco Otero.
37. JUAN LUIS VIVES: *Epistolario*. Edición preparada por José Jiménez Delgado.

38. PADRE ISLA: *Historia del famoso predicador Fray Gerundio de Campazas.* Edición preparada por L. Fernández Martín.
39. DIEGO DE TORRES VILLARROEL: *Los desahuciados del mundo y de la gloria.* Edición preparada por Manuel María Pérez.
40. JERUDA HA-LEVI: *Cuzarys. Libro de grande sciencia y mucha doctrina.* Edición preparada por Jesús Imirizaldu.
41. ANTONIO LIÑÁN Y VERDUGO: *Guía y avisos de forasteros que vienen a la corte.* Edición preparada por Edisons Simons.
42. FRANCISCO MARTÍNEZ MARINA: *Teoría de las Cortes.* Edición preparada por J. M. Pérez Prendes.
43. *Cancionero de Garci Sánchez de Badajoz.* Edición preparada por Julia Castillo.
44. *Antología de Humanistas Españoles.* Edición preparada por Ana Martínez Arancón.
45. CARLOS DEL VALLE RODRÍGUEZ: *La escuela hebrea de Córdoba.*
46. CONCOLORCORVO: *El lazarillo de ciegos caminantes.* Edición preparada por Antonio Lorente Medina.
47. EMILIA PARDO BAZÁN: *La mujer española.* Edición preparada por Leda Schiavo.
48. JUAN RODRÍGUEZ DEL PADRÓN: *Obras completas.* Edición preparada por César Hernández Alonso.
49. *Épica española medieval.* Edición preparada por Manuel Alvar.
50. *La mentalidad maya.* Edición preparada por José Vila Selma.
51. FERNÁNDEZ PÉREZ DE OLIVA: *Diálogo de la dignidad del hombre.* Edición preparada por María Luisa Cerrón Puga.
52. JOSÉ DE ESPRONCEDA: *Teatro completo.* Edición preparada por Amancio Labandeira.
53. FADRIQUE FURIÓ CERIOL: *El concejo y consejeros del príncipe.* Edición preparada por Henri Méchoulan.
54. JUAN DE JÁUREGUI: *Discurso poético.* Edición preparada por Melchora. Romanos.
55. *Textos de cronistas de Indias y poemas grecolombinos.* Edición preparada por Roberto Godoy y Angel Olmo.
56. JUAN VICTORIO: *El amor y el erotismo en la literatura medieval.*
57. JOSEF BEN MEIR ZABARRA: *Libro de los entretenimientos.* Edición preparada por Marta Forteza Rey.
58. JUAN DE LA CUEVA: *Fábulas mitológicas y épica burlesca.* Edición preparada por José Cebrián García.
59. L. ANNEO SÉNECA: *Diálogos.* Edición preparada por José Cebrián.
60. MARQUÉS DE SANTILLANA: *Prohemios y cartas literarias.* Edición preparada por Miguel Garci-Gómez.

BIBLIOTECA DE LA LITERATURA Y EL PENSAMIENTO UNIVERSALES

1. NOVALES: *Himnos a la noche y Enrique de Ofterdingen.* Edición preparada por Eustaquio Barjau.
2. DIDEROT: *Escritos filosóficos.* Edición preparada por Fernando Savater.
3. APOLONIO DE RODAS: *El viaje de los argonautas.* Edición preparada por Carlos García Gual.
4. BARUCH DE ESPINOSA: *Ética.* Edición preparada por Vidal Peña García.
5. ARISTÓFANES: *Las avispas. La paz. Las aves. Lisístrata.* Edición preparada por Francisco Rodríguez Adrados.
6. KIERKEGAARD: *Temor y temblor.* Edición preparada por Vicente Simón Merchán.
7. CICERÓN: *Tratado de los deberes.* Edición preparada por José Santa Cruz Teijeiro.
8. *Himnos Védicos.* Edición preparada por Francisco Villar Liébana.
9. LEONARDO DA VINCI: *Tratado de pintura.* Edición preparada por Angel González García.
10. GALILEO: *Consideraciones y demostraciones matemáticas sobre dos nuevas ciencias.* Introducción y notas de Carlos Solís Santos. Traducción de Javier Sábada Garay.
11. HOMERO: *Odisea.* Edición preparada por José Luis Calvo Martínez.
12. LUCIANO DE SAMOSATA: *Diálogos de tendencia cínica.* Edición preparada por F. García Yagüe.
13. VOLTAIRE: *Cartas filosóficas.* Edición preparada por Fernando Savater.
14. ARISTÓTELES: *La política.* Edición preparada por Carlos García Gual.

15. PROUDHON: *El principio federativo*. Edición preparada por Juan Gómez Casas.
16. MOLIÈRE: *Tres comedias*. Edición preparada por Francisco Javier Hernández.
17. JOHANN GOTYLIEB FICHTE: *Discursos a la nación alemana*. Edición preparada por Luis A. Acosta y María Jesús Varela.
18. LAO TSE-CHUANG TZU: *Dos grandes maestros del Taoísmo*. Edición preparada por Carmelo Elorduy.
19. SÓFOCLES: *Ayax, Las Traquinias, Antígona, Edipo Rey*. Edición preparada por José María Lucas de Dios.
20. LEIBNIZ: *Nuevos ensayos sobre el entendimiento humano*. Edición preparada por Javier Echevarría.
21. GOTTHOLD EPHRAIM LESSING: *Laocoonte*. Edición preparada por Eustaquio Barjau.
22. DAVID HUME: *Tratado de la naturaleza humana*. Edición preparada por Félix Duque.
23. ANÓNIMO: *Atma y Brahma*. Edición preparada por F. R. Andrados y F. Villar Liébana.
24. P. B. SHELLEY: *Adonais y otros poemas*. Edición preparada por Lorenzo Peraile.
25. LUCANO: *La Farsalia*. Edición preparada por Sebastián Mariner.
26. DEMÓSTENES: *Discursos escogidos*. Edición preparada por Emilio Fernández Galiano.
27. *Textos literarios hetitas*. Edición preparada por Alberto Bernabé.
28. THOMAS HOBBES: *Leviatán*. Edición preparada por Carlos Moya y Antonio Escohotado.
29. JOHN WEBSTER: *El diablo blanco*. Edición preparada por Fernando Villaverde.
30. *El Corán*. Edición preparada por Julio Cortés.
31. ROBERT FLUDD: *Escritos sobre música*. Edición preparada por Luis Robledo.
32. ANÓNIMO: *La Demanda del Santo Graal*. Edición preparada por Carlos Alvar.
33. LOCKE: *Ensayo sobre el entendimiento humano*. Edición preparada por Sergio Rábade y Esmeralda García.
34. ANÓNIMO: *Poema de Gilgamesh*. Edición preparada por F. Lara Peinado.
35. *Poema babilónico de la creación*. Edición preparada por F. Lara Peinado y Maximiliano García Cordero.
36. *Sendebar. Libro de los engaños de las mujeres*. Edición preparada por José Fradejas Lebrero.
37. ARISTÓTELES, HORACIO Y BOILEAU: *Poéticas*. Edición preparada por Aníbal González.
38. CHRÉTIENS DE TROYES: *Erec y Enid*. Edición preparada por Carlos Alvar.
39. *Calímaco y Crisorroe*. Edición preparada por Carlos García Gual.

40. KALIDASA: *Meghaduta*. Edición preparada por F. Villar Liébana.
41. A. ALCIATO: *Emblemas*. Edición preparada por B. Daza Pinciano.
42. JEAN RACINÉ: *Teatro completo*. Edición preparada por J. M. Azpitarte y Emilio Náñez.
43. MARÍA DE FRANCIA: *Lais*. Edición preparada por Luis Alberto de Cuenca.
44. *Mabinogión*. Edición preparada por María Victoria Cirlot.
45. GOTTFRIED VON STRASSBURG: *Tristán e Isolda*. Edición preparada por Bernd Dietz.
46. GUILLERMO IX DUQUE DE AQUITANIA Y JAUFRE RÚDEL: *Canciones completas*. Edición preparada por Luis Alberto de Cuenca y Miguel Angel Elvira.
47. FUZULÍ: *Meylâ y Mecnûm*. Edición preparada por Süleyman Salom.
48. FERNANDO PESSOA: *Antología de Alvaro de Campos*. Edición preparada por J. A. Llardent.
49. BENJAMÍN FRANKLIN: *Autobiografía y otros escritos*. Edición preparada por Luis López Guerra.
50. JACOPO SANNAZARO: *Arcadia*. Edición preparada por Julio Martínez Mesanza.
51. SNORRI STURLUSON: *Textos mitológicos de los Eddas*. Edición preparada por Enrique Bernárdez.
52. ANÓNIMO: *Libro de los cambios*. Edición preparada por Carmelo Elorduy.
53. W. B. YEATS; J. M. SINGE, Y SEAN O'CASEY: *Teatro Irlandés*. Edición preparada por Corina J. Reynolds.
54. INMANUEL SWEDENBORG: *Antología*. Edición preparada por Jesús Imirizaldu.
55. ANÓNIMO: *Romancero chino*. Edición preparada por Carmelo Elorduy.
56. SNORRI STURLUSON: *Saga de Egil Skallagrimsson*. Edición preparada por Enrique Bernárdez.